ROLANDO MASFERRER
EN EL PAÍS DE LOS MITOS

COLECCIÓN CUBA Y SUS JUECES

EDICIONES UNIVERSAL, Miami, Florida, 2009

ROBERTO LUQUE ESCALONA

ROLANDO MASFERRER
EN EL PAÍS DE LOS MITOS

...EDICIONES UNIVERSAL

———

Primera edición, 2009

EDICIONES UNIVERSAL
P.O. Box 450353 (Shenandoah Station)
Miami, FL 33245-0353. USA
Tel: (305) 642-3234   Fax: (305) 642-7978
e-mail: ediciones@ediciones.com
http://www.ediciones.com

Library of Congress Catalog Card No.: 2009925009
ISBN-10: 1-59388-162-2
ISBN-13: 978-1-59388-162-7

Composición de textos: María Cristina Salvat Olson

Diseño de la cubierta: Luis García Fresquet

En la cubierta aparece foto de Rolando Masferrer,
después de Cayo Confites (1947).

ÍNDICE

The Tiger

Tiger, Tiger, burning bright In the forest of the night; What immortal hand or eye Could frame thy fearful symmetry?	¡Tigre! ¡Tigre! en la espesura de la noche ardes, fulguras ¿Qué ojo o mano eterna haría tu terrible simetría?
In what distant deeps or skies Burnt the fire of thine eyes! On what wings dare he aspire? What the hand, dare seize the fire?	¿En qué abismo o cielo ardió el fuego de tu ojo? ¿Y osó sobre qué alas él subir? ¿Que mano osó el fuego asir?
And what shoulder, & what art, Could twist the sinews of thy heart? And when thy heart began to beat, What dread hand? & what dread feet?	¿Y qué hombro, qué mano, que arte pudo el corazón trenzarte y, cuando latió, despúes la atroz garra hizo en tus pies?
What the hammer? what the chain? In what furnace was thy brain? What the anvil what dread grasp Dare its deadly terrors clasp	¿Qué martillo, qué cadena o qué horno el seso te forjó? ¿Qué yunque, qué osado puño su terror mortal ciñó?
When the stars threw down their spears And water'd heaven with their tears: Did he smile his work to see? Did he who made the Lamb make thee?	Cuando los astros lanzaron flechas y el cielo anegaron de llanto, ¿ante su obra él sonrió? ¿Creó el cordero y te creo?
Tiger, Tiger, burning bright In the forest of the night: What immortal hand or eye are frame thy scareful symmetry?	¡Tigre! ¡Tigre! en la espesura de la noche ardes, fulguras. ¿Qué ojo o mano eterna urdía tu terrible simetría?

Songs of Experience, William Blake (Traducción de Heberto Padilla)

El tigre fatal, la aciaga joya

Jorge Luís Borges

INTRODUCCIÓN

Los mitos son parte inseparable de la existencia humana. El hombre los ha creado desde los tiempos remotos de los que hay memoria hasta nuestros días. Existen en todos los países, los crean todos los pueblos, no hay lugar que no esté marcado por su falaz presencia, casi nunca se sabe por qué nacen y hacerlos morir a menudo se presenta como una tarea imposible.

No me importa. De todos modos, los detesto. Y no por gusto: la creencia en ellos fue uno de los factores que propiciaron esa devastadora calamidad conocida como Revolución Cubana.

Dije «uno de los factores». El factor principal fue la envidia, que siempre ha existido y existirá, en todas las épocas, en todos los ámbitos, pero que en algunos pueblos es particularmente abundante. Cuba es uno de ellos. Sin embargo, estoy convencido de que sin el efecto nefasto de los mitos, la envidia, por sí sola, no nos hubiera conducido al desastre. Sin el mito de «la República Despreciable», los envidiosos no hubieran triunfado.

LOS MITOS MAMBISES

PROTESTA DE BARAGUÁ

Quizás comenzara antes. No sé. Para mí, la mitomanía nacional nace con la nación misma, al finalizar la guerra que la hizo nacer. Cuando los cubanos rebelados contra el poder español quedaron exhaustos y sin recursos después de casi diez años de guerra, y el Capitan General Arsenio Martínez Campos tuvo la sagacidad suficiente como para hacerlos deponer las armas sin humillarlos, un jefe insurrecto, Antonio Maceo, se negó a reconocer la derrota, en lo que se conoce como la Protesta de Baraguá, una de las acciones más elogiadas de nuestra historia.

–¡El 23 se rompe el corojo!

El anuncio del reinicio de la lucha, hecho verbo en un grito de folclórico júbilo, fue el comienzo de un fiasco: dos meses después, Maceo se vio obligado a aceptar las condiciones del Pacto del Zanjón, a recibir el dinero que el gobierno español destinaba a los jefes de la insurrección para que se establecieran en el extranjero y a tomar un barco español para abandonar la Isla. La tan elogiada demostración de firmeza no fue otra cosa que un acto de soberbia o, en el mejor de los casos, un error de cálculo del entonces joven general.

¿Así que el 23 se rompió el corojo? Dos meses después todo se fue a un lugar de parecido nombre.

CARGA AL MACHETE

Otro gran mito surgido de las guerras de independencia es el del machete como arma terrible, aterradora.

–¡Corneta! ¡Toque usted a degüello!–ordena, solemne, el jefe *mambí*.

Se escuchan unas notas marciales y, al escucharlas, los soldados españoles comienzan a temblar ante la inminencia de una carga al machete.

¡Pamplinas! Si tan aterrados estaban, ¿cómo se las arreglaron para matarnos tantos generales? Donato Mármol, Ignacio Agramonte, Henry Reeve, Flor Crombet, Antonio y José Maceo, Serafín Sánchez y Juan Bruno Zayas: todos muertos en combate contra los aterrorizados españoles, que también hubieran matado a Calixto García si éste, rodeado, no se da un tiro del que milagrosamente sobrevivió. Sólo un general español, Fidel Alonso de Santoscildes, fue muerto por los cubanos en trece años de guerra, y nunca pudieron los *mambises* mantener en su poder una villa de cierta importancia, nunca pudieron definir como suyo un territorio.

Cierto es que la desventaja numérica era grande: los cubanos enfrentaron, solos, un ejército que igualaba en número a todas las tropas enviadas por España a México y Sudamérica durante las guerras de principios del siglo XIX, entre 1810 y Ayacucho. Pero lo fundamental era el armamento. ¿Machetes contra fusiles de último modelo para no hablar de los cañones? Los fusiles ganan. Sin embargo, difícil es encontrar un cubano que no crea en lo terribles, lo incontrastables, lo aterradoras que eran las cargas al machete. Es un artículo de fe patriótica.

«La libertad se consigue con el filo del machete». Esa frase, que era ya algo disparatada en la época de las guerras de independencia, aún se escuchaba un siglo después.

No hace mucho tuvo lugar el estreno de una película acerca de un episodio de la llamada Restauración *Meiji*, que sacó al Japón del Medioevo y lo lanzó al mundo moderno. En esa película, *El último samurai,* protagonizada por Tom Cruise y Ken Watanave, hay una larga secuencia que parece dedicada a los cubanos mitómanos. Los guerreros *samuráis*, con sus sables, lanzas y arcos, cargan contra el recién creado ejército regular japonés, equipado con cañones, fusiles de cerrojo e incluso unas rudimentarias ametralladoras de cañón giratorio. Los *samuráis,* a pesar de la extraordinaria habilidad con que manejan sus armas, de su coraje ilimitado, incluso del miedo que inspiran a sus enemigos, son aniquilados por reclutas equipados con armas de fuego. Eso ocurrió a finales de la década de los 70' del siglo

XIX, exactamente en 1877, mientras en Cuba la Guerra de los Diez Años se acercaba a su final.

Ahora, hagamos una breve comparación entre *mambises* y *samuráis*, guerreros venerados en sus respectivos ámbitos. Los nuestros eran, casi sin excepción, soldados improvisados: campesinos, artesanos, obreros y esclavos sin previa experiencia militar, de la que carecían también sus jefes.

En cambio, los *samuráis*, miembros de una casta feudal, eran entrenados desde niños en el uso de las armas: lanza, arco y, sobre todo, el sable *katana*, arma emblemática de la nobleza guerrera del Japón. Cuando llegaban a la adultez eran todos combatientes avezados, profesionales de la guerra.

En cuanto a las armas, el machete es un instrumento de trabajo. Está hecho para cortar cañas, ramas, yerbas o bejucos, no brazos ni cabezas; por tanto, el metal que se utiliza en su fabricación no es de particular calidad, mientras que el sable *katana* es confeccionado por artesanos expertos con el mejor de los aceros, y su longitud es mucho mayor.

En suma, que si los *samuráis* eran (tenían que ser, por su entrenamiento desde niños) mejores combatientes con arma blanca que los *mambises,* y el arma que portaban de calidad superior, y fueron aniquilados por tropas regulares dotadas de armas de fuego, ¿dónde queda el mito de las cargas al machete que siempre derrotaban y además aterrorizaban a los soldados españoles?

INVASIÓN A OCCIDENTE

El tercero de los grandes mitos originados por las guerras de independencia es el de la invasión al Occidente de la Isla. La larga marcha de mil kilómetros entre los recurrentes Mangos de Baraguá, en Oriente, y Mantua, en Pinar del Río, fue, sin duda, una hazaña, pero invadir no es penetrar en un territorio; es ocuparlo y mantener la ocupación, lo cual no se hizo. Imposible hacerlo contra un ejército superior en número y armamento.

En los libros de historia que estudié en la primaria y el bachillerato, cuando se menciona una batalla, es siempre una victoria de los *mambises*. El escolar cubano sólo sabe de victorias. La Sacra, Palo Seco, Las Guásimas, Naranjo, Mojacazabe, Peralejo, Sao del Indio, Mal Tiempo, Ceja del Negro, las Taironas, sin olvidar el rescate de Sanguily: victorias y más victorias.

En cambio, nunca escuché ni leí una palabra sobre Eloy Gonzalo, un soldado español al que llaman en España el Héroe de Cascorro, que hizo volar un polvorín que había en ese pueblo camagüeyano, se incluyó él mismo en la voladura y aniquiló a la tropa de cubanos que intentaba tomarlo. Sí, ya sé, en España hay estatuas del asesino Valeriano Weyler, que llevó a la muerte por hambre a miles de guajiros al obligarlos a reconcentrarse en las poblaciones, pero una mezquindad no justifica otra.

Tales fueron los primeros mitos, los del siglo XIX. En realidad, mitos inofensivos. Aunque creer en lo que no es cierto siempre implica riesgos, considerar al machete un arma terrible, a la Protesta de Baraguá como una acción admirable y a la incursión de los *mambises* en el occidente de la Isla como una invasión nunca le ha hecho daño a nadie. Sólo que, después de esos mitos, vendrían otros, ya no tan benignos.

EL CHULO CASTIGADO

Maligno, muy maligno fue nuestro primer mito del siglo XX. Medio siglo después de haber sido asesinado por unos colegas y rivales franceses, se estrenó *Réquiem por Yarini,* una obra de teatro escrita por Carlos Felipe sobre los últimos días de la vida de este hombre y sobre su muerte, obra que aún se representa.

Sólo conozco otro chulo que fuese objeto de adoración en los escenarios. Una adoración muy diferente, porque no se trataba de un personaje real. Hablo de *Pichi,* «el chulo que castiga» de la zarzuela *Las Leandras,* jocosamente glorificado en el más bello de los chotís: Pero lo de *Pichi* eran palabras ingeniosas; lo de Alberto Yarini, hechos deleznables.

Resulta sorprendente que contando con tantos protagonistas de las entonces recientes guerras de independencia, a pesar de la fascinación que sienten tantos seres humanos por los guerreros y de la admiración que han mostrado siempre los cubanos por el heroísmo de los hombres violentos, el pueblo convirtiera en objeto de admiración a un chulo. Porque eso era Yarini: un hombre que vivía de algo tan repulsivo como es la prostitución.

El hecho de pertenecer a una respetada familia de profesionales y académicos que dejaron su huella en la Universidad de la Habana aumenta su valía a los ojos de algunos. Para mi, el que alguien nacido y criado en un buen ambiente familiar se dedique a explotar prostitutas es muestra evidente de una natural vileza. Para otros es un mérito, como mérito es, o al menos un generador de solidaridad, que quienes lo mataron fuesen extranjeros, así como su condición de miembro de la secta *Abakuá,* asociación de origen africano marcada por la bravuconería, el desprecio a la mujer y, en sus inicios, por el odio contra los blancos.

Cuando este miserable murió, se le hizo un entierro de prócer, al que asistieron miles de personas. He ahí un mito que sí entraña peligrosidad, que peligroso es admirar a un crápula, aunque debo decir

15

que nunca volvió a surgir un chulo que encandilase la imaginación de los cubanos. Mejor sería decir de los habaneros, pues Yarini nunca llegó a ser un mito nacional; para serlo hay que ser conocido en eso que los capitalinos llaman «el Interior», que es casi toda Cuba menos La Habana y Matanzas. A los estudiantes provincianos que se encontraban con ese extraño apellido en el frontispicio de la Escuela de Odontología no se les ocurría relacionarlo con los burdeles del viejo barrio de San Isidro, en el que naciera Martí mucho antes que dicho vecindario se convirtiera en zona roja. Suponían, con razón, que se trataba de un profesor distinguido.

APOLO COMUNISTA

El segundo mito surgido en la era republicana murió, como Yarini, asesinado, y fue también «de las mujeres consentido». Aunque no alcanzó a cumplir 26 años y en su vida no hubo nada trascendental, aún se le recuerda ocho décadas después de su muerte. Un joven que a viejo nunca llegaría; como la nación en la que surgió, nunca llegó a alcanzar la madurez. Se llamó Nicanor McPartland hasta que, muchacho inteligente, sustituyó el Nicanor por Julio Antonio y adoptó como apellido único el de su padre. No lo usó antes porque era hijo bastardo; sus progenitores no estaban casados.

Julio Antonio Mella era de orígenes muy oscuros. Su padre, sastre de oficio, se dice que era nieto de Ramón Mella, uno de los fundadores de la República Dominicana. Cuando su madre, al parecer nacida en Gran Bretaña, murió o desapareció, fue adoptado por la esposa de su padre. En su niñez y adolescencia viajó dos veces a los Estados Unidos ¿Para ver a su madre? Lo ignoro. Tampoco sé por qué, siendo habanero, se graduó de bachiller en Pinar del Río ni tengo la menor certeza de si su apellido materno, el que primero usó, era en realidad McPartland u otro parecido, también irlandés, como McFarland, o escocés, como MacPharland.

Lo que sí no cabe duda es que Mella heredó de su padre dominicano una pequeña porción de sangre negra. De los personajes convertidos en mitos del siglo XX cubano, es el único mulato, que negros no hay ninguno.

Su madre se llamaba Cecilia, como el personaje de mayor celebridad de nuestra literatura. «Soy mestiza y no lo soy», dice Cecilia Valdés. Lo mismo pudo haber dicho el hijo de Cecilia McPartland; al igual que la bella de la Loma del Angel, Nicanor–Julio Antonio «parecía» blanco.

Como la mulata de Cirilo Villaverde, era muy bien parecido, algo de lo que parecía estar conciente y que es parte fundamental de su leyenda. La fotógrafa italiana Tina Modotti, su amante, dejó constancia gráfica de ello, así como Diego Rivera, que lo retrató en su mural *En el arsenal*. Antonio Orlando Rodríguez, escritor cubano nacido tres décadas después de muerto Mella, le dedica dos páginas de apasionado entusiasmo homosexual en su novela *Aprendices de brujos*. «Joven, bello e insolente como un héroe homérico»; así lo describe su contemporáneo el periodista Pablo de la Torriente Brau, un tipo duro que jugaba *football* americano, repartía golpes en las manifestaciones y moriría en la Guerra Civil Española sin haber mostrado interés sexual por los varones en sus 36 años de vida. La coincidencia de opiniones en personajes tan disímiles no deja lugar a dudas sobre la apostura de Julio Antonio Mella.

Cabe preguntarse si fue el más apuesto de nuestras figuras políticas. En todo caso, no fue el único que se destacase por ello.

Manuel Sanguily visitaba con frecuencia el hogar de Domingo Méndez Capote, político importante de principios de la República y padre de una niña para recordar. En una de esas visitas, la esposa de Méndez Capote le preguntó a su hija, que tendría entonces ocho o nueve años:

–Dime, Renecita, ¿qué te parece Manuel Sanguily?

La niña observó atentamente al amigo de sus padres. Luego los regocijó a ellos y a él con su respuesta:

–Es muy bonito, mamá. Muy buen mozo.

¿Mozo? Ni bueno ni malo: era un viejo. Tenía por lo menos sesenta años cuando una niña le dedicó aquel piropo tan sincero como desinteresado. Manuel Sanguily podía competir con Mella o con cualquiera en cuanto a presencia física. Entonces, ¿por qué apenas se le recuerda si fue además coronel *mambí*, destacado constituyente, ensayista leído, senador emblemático y Ministro de Relaciones Exteriores? Como si eso fuera poco, y no lo es, llevaba un apellido que ha resonado en Cuba desde el rescate del general Julio a principios de los años 70' del siglo XIX hasta las hazañas deportivas del nadador Manolo en los 50' del siglo XX.

Nunca deja de sorprenderme el talento que muestran los comunistas para la creación de mitos. Me imagino lo que hubiesen hecho con la figura de Manuel Sanguily si éste hubiese sido uno de los suyos.

A la leyenda de Mella contribuyeron sus éxitos en el deporte: fue campeón nacional de remos en la modalidad de cuatro con timonel categoría *senior,* una competencia que tenía lugar en Varadero y a la que se le daba en Cuba una peculiar importancia. Era todo un acontecimiento social-deportivo.

En la regata que hizo aparecer su foto por primera vez en la prensa nacional, junto con Mella remaron otras dos futuras celebridades: Pepe Barrientos, que luego tendría una breve y brillante carrera como corredor de velocidad y otra no menos breve aunque no tan brillante como piloto, y Luís Felipe Gutiérrez, llamado por todos *Pincho*, que sería *manager* de varios boxeadores famosos, entre ellos el campeón mundial Kid Chocolate, Black Bill y Luis Galvani.

Se me ocurre que Mella era lo que Fidel hubiese querido ser y no fue. Este polifacético y quizás realmente carismático personaje llegó a la Universidad, reunió en torno suyo a un grupo de estudiantes fuertes, agresivos y con inclinaciones justicieras, y terminó a golpes con las feroces y abusivas novatadas. Fue luego el creador de la Federación Estudiantil Universitaria, cuya presidencia declinó aceptar, algo que nunca he podido entender. También creó dos organizaciones esperpénticas, la Liga Antiimperialista y la Liga Anticlerical, y para culminar su labor fundacional, fundó, en 1925, el Partido Comunista, que también se negó a presidir.

Se le atribuyen hechos que denotan una personalidad original. Invitados varios líderes estudiantiles al Palacio Presidencial para discutir acerca de la reforma universitaria, y estando la discusión en marcha, un camarero le trajo un vaso de leche al Presidente Alfredo Zayas, que utilizó la palabra de cortesía usual en esos casos:

–¿Gustan?

–Si, gracias –dijo Mella, tomó el vaso y lo vació sin respirar.

Otra anécdota se refiere a la llegada al puerto de Cárdenas de un barco soviético al que no se le permitió atracar. Mella nadó hasta el centro de la extensa bahía para saludar a los marinos llegados del Paraíso del Proletariado.

Poco después fue expulsado de la Universidad y se metió en líos de orden público con el recién estrenado Presidente Machado, polo opuesto del flemático Zayas, que lo mandó a detener. Como protesta por su detención se declaró en huelga de hambre. El ayuno no fue muy prolongado, sólo 18 días, pero recibió mucha publicidad, y Machado, que no era tan «asno con garras» como lo describió Rubén Martínez Villena, otro comunista, decidió ponerlo en un barco rumbo a México; sería el primer exiliado de la era republicana. Menos de cuatro años después, Julio Antonio Mella fue asesinado en una calle de la capital mexicana y, como era de esperarse, se le atribuyó el crimen al áspero Presidente cubano.

A estas alturas, hay que ser izquierdista para creerlo, pues Mella se había desentendido de los sucesos de Cuba, donde no había nada que se pareciera a una situación revolucionaria. Por entonces, Gerardo Machado recibía elogios de todo tipo por su eficaz manera de gobernar, la cual incluía una cierta dosis de nacionalismo. Sus opositores principales eran veteranos de la política sin ninguna relación con la izquierda, jóvenes estudiantes que a nadie representaban y anarquistas de poca monta.

En sus primero cuatro años de gobierno se habían producido algunos asesinatos políticos: el del periodista Armando André, que se atrevió a ridiculizar en una caricatura la capacidad sexual del agresivo mandatario, y varios anarco-sindicalistas. Ninguno de ellos tenía nada que ver con Mella ni con el exiguo Partido Comunista y sus muertes no pueden ser tomadas como antecedente de un crimen cometido en el extranjero y con alguien renombrado como víctima.

Por su parte, Mella estaba dedicado al comunismo mexicano e internacional. Participaba en el congreso de la Internacional Comunista celebrado en de Bruselas; visitaba con cierta frialdad la Rusia soviética; polemizaba con un joven político peruano de nombre impresionante, Víctor Raúl Haya de la Torre, fundador y líder de un partido llamado, con similar rimbombancia y longitud, Acción Popular Revolucionaria Americana (APRA); editaba el periódico *El Machete* (donde hay un cubano, el machete no tarda en aparecer), órgano del Partido Comunista de México. En fin, nada que ver con la situación en Cuba.

El renombre de Julio Antonio Mella aumentaba en esos ámbitos, aunque ciertas características de su personalidad han de haber provocado recelos en quienes señoreaban en ellos. Era poco dado a la obediencia, a la incondicionalidad. A diferencia de otros visitantes, mostraba escaso entusiasmo por lo que vio en Rusia. También resultaba demasiado distinto a su congéneres, los otros dirigentes comunistas, los de entonces y los que vinieron después, y eso siempre ha sido un inconveniente. Para completar la conflictiva imagen, se le atribuían inclinaciones trotskistas. Quizás sea irrelevante, pero un mes después de morir Mella, León Trotsky, que también encontraría la muerte en México, fue expulsado de la Unión Soviética.

Tina Modotti, además de hermosa y bisexual, resultó ser agente de la *Cheka*, la organización represiva rusa creada por Felix Dzherzhinski. Antonio Vittali, un matón también italiano y servidor del mismo amo, andaba al retortero con ella y Mella. Por último, ya Stalin había ordenado la muerte de varios prominentes bolcheviques, por lo que ordenar que se asesinara al joven cubano, apenas una estrella naciente, no era un problema para él. Voto por Stalin y Dzherzhinski como los verdaderos instigadores del asesinato, por Vittali como ejecutor, y por la bella y putanesca Tina como cómplice. Por cierto, en el mural de Rivera que mencioné, están retratados los tres: la Modotti mira amorosamente a Mella mientras Vittali aparece en una extraña pose, con la cara semioculta por un sombrero negro. Algunos han querido ver en esa pintura un aviso de muerte por motivos pasionales. De tales motivos dudo; en 1940, dos meses antes de que Trotsky fuese asesinado por Ramón Mercader, Vittali intentó asesinarlo en compañía del pintor David Alfaro Siqueiros. Lo de Antonio Vittali era asesinar; tal era su profesión. En cuanto a Siqueiros, el famoso muralista siempre quiso ser pistolero.

¿Qué hizo, que pudo hacer un hombre que no llegó a cumplir los 26 años para que se le recuerde ocho décadas después de su muerte? Insisto: nada realmente trascendental; sin embargo, él, su recuerdo, han trascendido. Mella, un joven comunista, ha quedado en la memoria de los cubanos como algo querido para muchos que comunistas no fueron ni de jóvenes. Cuando su busto, que preside la plazuela frente a la escalinata que es el principal acceso a la Universidad de La Habana, fue vandalizado con tinta negra, ello provocó la ira del Presidente de la FEU, el católico José Antonio Echeverría.

Julio Antonio Mella fue también como una premonición del papel excesivo, inusitado que tendrían los jóvenes en nuestro país. Un grupo de ellos lo llevaría a la destrucción. Otro le prepararía el camino para poder hacerlo.

EL HOMBRE DE HARVARD

Pocos años mayor que Mella, no había en él nada oscuro ni misterioso. Nació en Sagua la Grande, una ciudad pequeña de la región central de la Isla que se destacaba por su variada producción industrial y por la cantidad de personalidades que en ella nacieron. Realmente son muchos los sagüeros que han tenido buenas relaciones con la fama, desde el medico Joaquín Albarrán, creador de la Nefrologia y el pintor Wilfredo Lam, hasta Melquíades Martínez, miembro del senado de los Estados Unidos, sin olvidar al periodista y político José Pardo Llada, y al *pitcher* Conrado Marrero, nacido en una finca cercana.

Jorge Mañach nace pocos años antes que Mella, con el que no lo une parecido alguno, comenzando por su familia, que es de buena posición económica y sobre todo social: una prima suya se casó con un príncipe Borbón… que a rey nunca llegó.

Mientras Mella rema, nada, acaba con las novatadas, se bebe la leche destinada al Presidente Zayas y funda esto, lo otro y lo de más allá, Mañach se gradúa en la famosa Universidad de Harvard y realiza estudios en Paris. Al regresar a Cuba comienza su carrera política, que será muy larga, no porque larga haya sido su vida, sino porque comenzó muy joven, también, como Mella, bajo el gobierno de Zayas, pero en una actividad de muy distinta índole: funda con otros intelectuales el llamado Grupo Minorista, agrupación dedicada a analizar y criticar la situación de la República.

A principios de los años 30' cuando la furia se ha apoderado del país, forma parte de una organización muy distinta, la clandestina y terrorista ABC, lo más parecido que hubo en Cuba a un partido político de derecha, lo más alejado de la imagen de hombre apacible que proyectaba Jorge Mañach. El ABC detona bombas y ejecuta atentados, aunque su núcleo dirigente, la llamada Célula Central, está integrada por hombres que nunca tomaron ni tomarán parte en una acción violenta. Uno de ellos es Mañach.

El ABC es una prueba palpable de que los altos niveles de cultura y los conocimientos propios de las profesiones universitarias no pueden sustituir al talento político. Factor fundamental en la lucha contra el gobierno de Machado y de la mediación conducida por el enviado de Roosevelt, el diplomático estrella Benjamin Sumner Welles, la dirigencia *abecedaria* se deja arrebatar el poder, y cuando trata de recuperarlo lo hace tarde y mal.

En 1944, ya convertidos en aliados de quien fuera su enemigo, otro miembro de la Célula Central del ABC, Carlos Saladrigas, es derrotado en la elección presidencial, y a los brillantes líderes de la organización que se hacía llamar «la Esperanza de Cuba» no se les ocurre nada mejor que disolverla. Tres años más tarde, al constituirse el Partido Ortodoxo, Jorge Mañach se suma a él.

Para entonces, veinte años después de su debut en el Grupo Minorista, Mañach ha sido dos veces ministro, de Estado y de Educación, senador, y lo que es más inusitado, ha escrito varios libros, entre ellos *Martí, el Apostol*, y ha visto convertirse en muy comentado ensayo una serie de conferencias agrupadas bajo el sugestivo título de *Indagación del choteo*. Es el primer y casi único ejemplar de político escritor desde la muerte de Martí. Otros, el poeta Rubén Martínez Villena y el ensayista Juan Marinello, miembros también del Grupo Minorista, no tuvieron la relevancia literaria y política de Mañach, y Martínez Villena murió demasiado joven para llegar a ser un competidor. De todos modos, ninguno de ellos tenía el talento de Martí. Y no me refiero al talento literario.

Durante sus años en el Partido Ortodoxo su fama se acrecentó, en buena medida por sus artículos semanales aparecidos en la revista *Bohemia* y en el *Diario de la Marina*. Su desempeño como conductor de programas de radio y televisión, «La Universidad del Aire» y «Ante la Prensa», lo convirtieron en el intelectual cubano más conocido y reconocido.

Cuando el Partido Ortodoxo perdió el rumbo tras el golpe del 10 de marzo, Mañach fundó uno nuevo, al que llamó Movimiento de la Nación; la voz popular, como si fuera una respuesta a la *Indagación del choteo*, lo llamaría «El Meneíto».

Entonces ocurrió la debacle. Los bárbaros se apoderaron del país ante el entusiasmo delirante de casi todos. Entre las pocas voces que llamaron a la cordura y a la dignidad no estuvo la de Jorge Mañach, convertido en un fervoroso partidario de Fidel Castro y su Revolución, como si aquello fuera lo que hubiese estado esperando toda su vida de político moderado y hombre de bien. El inteligente y culto Mañach, el político con treinta y cinco años de experiencia pareció enloquecer. Estaba tan fuera de sí como yo, recién salido de la adolescencia. Creo que más.

En el clímax de aquel frenesí de bobería se presentó no sé si ante José Ignacio Rivero, Director del *Diario de la Marina*, o ante Gastón Baquero, Jefe de Redacción, o ante los dos, para anunciar que no escribiría más para el *Diario* porque éste se oponía a la voluntad popular, lo cual no dejaba de ser cierto: la voluntad popular era que se le entregase el país a Fidel Castro para que hiciese con él lo que mejor le pareciera. Pocas veces un pueblo ha mostrado una voluntad tan estúpida.

La identificación de Mañach con aquella locura fue muy breve, pero poca vida tuvo para rectificar. Dos años después murió, ya en el exilio. Fue testigo de la larga y, según Luís Ortega, alegre marcha hacia el abismo de la nación cubana que comenzó en 1933 y culminó en 1959.

¿Un mito Jorge Mañach? Si. Un mito benigno, como los nacidos de las guerras de independencia, el único mito benigno del siglo XX cubano. El que confundió la cultura, el buen manejo del idioma, los títulos académicos y, ¿por qué no decirlo, amigos?, la clase, con la inteligencia. Mañach era culto, su *currículum* académico era impresionante, hablaba y escribía con elegancia, y clase le sobraba, pero nunca demostró ser un político de talento.

SARGENTOS Y JÓVENES IDEALISTAS

En la tercera década de la República se consolidó un mito altamente dañino, el que le atribuía cualidades relevantes a las personas jóvenes sólo por el hecho de serlo. El 4 de septiembre de 1933, un grupo de estudiantes apoyado pasivamente por sargentos sediciosos se autonombró algo así como Máximo Colegio Electoral, rechazó al Presidente provisional, cuyo nombramiento había sido producto de complejas negociaciones entre el mediador americano Benjamín Sumner Welles e importantes sectores de la oposición a Machado, y eligió un absurdo gobierno «a la suiza», formado por cinco personas, ninguna de las cuales superaba en prestigio al Presidente provisional destituido; mucho menos en nombradía, que no es poca cosa eso de nacer llamándose Carlos Manuel de Céspedes.

En la madrugada de ese día ocurrió otro hecho trascendental, también una creación juvenil, que en uno y otro acontecimiento participaron los mismos personajes. Hablo del nacimiento de los tribunales revolucionarios, cortes improvisadas y sin ningún respaldo legal en las cuales el acusado no tiene la menor posibilidad de salir absuelto y la defensa es una mojiganga. Su primera víctima se llamó José Soler Lezama.

Estudiante miembro de varias agrupaciones revolucionarias, Soler Lezama terminó, al parecer, convertido en delator al servicio de la policía. Se dice que sus delaciones provocaron al menos una muerte, la de Manuel Fuertes Blandino, que había matado a su vez a un notorio oficial de la policía. Detenido y juzgado por un grupo perteneciente al Directorio Estudiantil, fue condenado a muerte y ejecutado por sus propios jueces apenas unas horas antes de que comenzara la sedición del 4 de septiembre. Varios Grandes Electores Estudiantiles llegaron al campamento militar de Columbia desde el lugar donde habían matado a Soler. Uno de ellos se llamaba Carlos Prío.

La importancia de los hechos ocurridos en Columbia el 4 de septiembre de 1933 ha opacado el juicio y ejecución de José Soler Lezama. Sin embargo, los llamados «tribunales revolucionarios» nacidos ese día serían resucitados por Fidel Castro en la Sierra Maestra y los fusilamientos resultantes convertidos luego en espectáculo diario a partir del 1ro de enero de 1959. José Soler Lezama, que no tuvo oportunidad alguna de defenderse, fue asesinado, como asesinados serían los que murieron a manos del Che Guevara, de Raúl Castro y de sus continuadores. ¿Era en realidad un delator? Tengo noticias para ustedes: ante la Ley, los delatores, los asesinos, los ladrones, los violadores, los estafadores son iguales que las buenas personas. El derecho a ser juzgado con equidad y de acuerdo a leyes vigentes es universal, para los buenos y para los malos. Es un derecho natural de todo hombre, independientemente de su naturaleza. La maldad no anula la condición humana ni los derechos que ella conlleva.

Seis días después del asesinato de José Soler y la deposición de Carlos Manuel de Céspedes hijo, los jóvenes Grandes Electores, ya curados de la manía helvética, eligieron para dirigir el país a uno de los pentarcas, el médico y profesor universitario Ramón Grau San Martín, muy popular entre ellos, desconocido para el resto del país.

¿Y los sargentos? Esos ni sabían quien era Grau (nadie lo sabía fuera del mundo académico y profesional), pero necesitaban el apoyo estudiantil para sustentar un poder que ni ellos mismos se explicaban de dónde había salido. No podían explicárselo porque cuando comenzó aquella locura sólo aspiraban a mejoras salariales y al uso de polainas de cuero y gorras de plato similares a las los oficiales.

La realidad convirtió en ridículas sus demandas iniciales: antes que la Pentarquía se disolviera, el pentarca de mayor nombradía, el brillante periodista y obtuso político Sergio Carbó, nombró coronel y jefe del ejército a su amigo el sargento mayor Fulgencio Batista. Carbó, que era entonces eso que llaman «un compañero de viaje» del comunismo, había visitado la Unión Soviética cinco años antes, visita de la que surgió un librito apologético. Al nombrar jefe del ejército a un sargento quizás estaba pensando en contribuir a la creación de un héroe proletario, un Chapáiev criollo, un Voroshílov mestizo; algo así. Batista no tenía inclinaciones heroicas, pero difícil hubiese sido encontrar alguien con mayor prosapia proletaria. El y Martí son los únicos personajes importantes de nuestra historia que nacieron en la pobreza; en el caso del mulato de Banes, en lugar de pobreza, mejor sería decir miseria.

¿Qué derecho tenían aquellos estudiantes a hacer lo que hicieron? Ninguno ¿A quién representaban? A nadie. ¿Eran, por el hecho de ser jóvenes, lo mejor de la nación cubana? No lo eran. Ninguno de ellos mostró después una particular valía, aunque casi todos llegaron a ser políticos importantes. Lo peor fue que, pasado un cuarto de siglo, una gavilla de delincuentes en la que apenas había hombres mayores de 40 años se apoderó del país, entre otras cosas, porque a la juventud se le consideraba noble, idealista, desinteresada y otras estupideces.

Un factor que contribuyó a que se impusiera aquel disparate estudiantil fue la sorprendente pasividad del ABC, una de las organizaciones que participaron en la llamada Mediación de Sumner Welles. Organización francamente terrorista, estaba, sin embargo, dirigida por personas de sólida preparación cultural y poca disposición a la violencia. Joaquín Martínez Sáenz, Carlos Saladrigas, Jorge Mañach, Francisco Ichaso, hombres cultos y, según se creía, inteligentes, no tenían talento para la acción. También carecían de sentido de la oportunidad. En noviembre, dos meses después de la locura septembrina, el aviador, corredor y remero Pepe Barrientos, un hombre del ABC, lanzó bombas desde un avión sobre el campamento militar de Columbia; debió lanzarlas en septiembre, pero nadie le ordenó que lo hiciera.

Fulgencio Batista, Pablo Rodríguez, José Eleuterio Pedraza y José López Migoya, los sargentos líderes de aquella extraña a asonada, nunca soñaron con tomar el poder. Otro aviador, éste militar, el capitán Mario Torres Menier, irrumpió en una reunión que celebraban en el *Club* de Alistados y los paró a todos en atención. No era cobardía, sino disciplina; hábito de obedecer a los superiores en rango. La oficialidad, en vez de aprovechar ese hábito de obediencia, se congregó en el Hotel Nacional, convertido por ellos mismos en una trampa en la que desapareció el ejército de la República, eficaz y profesional, que en treinta años de existencia no dio un solo golpe de Estado ni permitió que prosperase ninguna rebelión.

De aquella explosión de arrogancia y sandez juvenil propiciada por errores ajenos surgieron otros dos mitos, el de Ramón Grau San Martín y el de Antonio Guiteras Holmes, farmacéutico sin farmacia, de alguna notoriedad, no mucha, lograda durante un breve alzamiento armado contra Machado. En poco más de cien días, el médico y el farmacéutico se convirtieron en figuras nacionales, precisamente por dictar leyes de corte nacionalista. Cuando su gobierno se derrumbó bajo la presión conjunta de los ingratos sargentos, ahora convertidos en coroneles, y del gobierno del Buen Vecino Roosevelt, el país tuvo, a falta de uno, dos Salvadores de la Patria. Por desgracia, no serían los últimos. Ni los peores.

EL VIOLENTO JOVEN DE PHILADELPHIA

G uiteras fundó una organización clandestina nacionalista, La Joven Cuba, nombre copiado a *La Giovane Italia* de Giuseppe Mazzini. La Joven Cuba era realmente joven: su jefe tenía 28 años y el que llegaría a ser el más renombrado de sus miembros, Rolando Masferrer, 16. Aunque sus métodos, francamente delictivos, no tuvieron imitadores en Cuba, fueron el más lejano precedente histórico de organizaciones terroristas latinoamericanas que ganarían fama años después. La Joven Cuba es madre y modelo olvidada de los Tupamaros uruguayos, los Montoneros argentinos, los Macheteros puertorriqueños, y el M-19 colombiano.

Antonio Guiteras murió en 1935, apenas dos años después de su aparición en la vida pública, cuando intentaba salir al extranjero en la no muy buena compañía de un venezolano, una especie de energúmeno llamado Carlos Aponte. Parte del mito guiterista es que él y su acompañante fueron asesinados; lo cierto es que eran buscados por la comisión de un secuestro, así como de varios asaltos y al menos un intento de asesinato. Guiteras y Aponte eran fugitivos de la justicia, fugitivos peligrosos, y su muerte se produjo en un intercambio de disparos con la fuerza pública.

A menudo me pregunto por qué un hombre tan violento, de desempeño tan efímero y aspecto tan hosco como Antonio Guiteras llegó a alcanzar la categoría de figura nacional. Creo tener la respuesta. Como gobernante, «intervino», o sea, dio el primer paso para la confiscación de la principal empresa proveedora de electricidad del país, propiedad de la compañía americana Electric Bond & Share. Como oposicionista, secuestró al magnate azucarero Eutimio Falla y recibió 300 000 pesos por su liberación.

De uno y otro hecho derivo una conclusión: este hijo de padre cubano y madre americana nacido en Philadelphia no sentía el menor respeto por el derecho de propiedad. Eso lo hace admirable a los ojos de muchos cubanos que tampoco respetan ese derecho y lo convierte en una especie de pionero del despojo, el antecedente más directo de esa gigantesca operación de apropiación de lo ajeno ejecutada por Fidel Castro un cuarto de siglo después de la muerte del áspero *Cubanamerican*.

La revolución como remedio para los males sociales es otro mito amado por los cubanos, cuyo nacimiento es impreciso, no así su consolidación, ligada de la más sólida manera a la lucha contra el autoritarismo de Gerardo Machado y los años que siguieron a su caída. En realidad, las revoluciones, todas las revoluciones, no son más que gigantescos revoltijos de sangre y porquería, alimentados por la envidia y el odio. Pero los cubanos aman la palabra que define la conversión de un país en matadero y eso que llaman «un ideal revolucionario» justifica toda clase de actos delictivos, entre ellos los que marcaron la breve vida de Antonio Guiteras.

JORDÁN DE SANGRE

Guiteras no fue el creador del terrorismo revolucionario. Cuando escribí *Los niños y el tigre* hable con entusiasmo del Atentado del Cementerio. La imaginación presente en aquel plan y el enorme esfuerzo necesario para ponerlo en práctica me fascinaron, como fascinaron a Alejo Carpentier, que lo describe minuciosamente en su novela *El acoso*. Por esa misma época sirve de tema a una película, *Rompiendo las cadenas*, de la que nadie quiere acordarse. En mi novela *Los hombres de Don Álvaro,* uno de los protagonistas concibe un plan para matar a Fidel Castro inspirado en el frustrado complot de setenta años atrás.

La actitud admirativa de Carpentier es natural en una persona como él. Sin embargo, yo, que creo ser alguien muy distinto, ni por un momento pensé que el Presidente del Senado Clemente Vázquez Bello había sido asesinado con el único propósito de congregar ante su tumba a Machado y toda su plana mayor; que en aquel panteón lleno de explosivos traídos a través de un túnel que lo comunicaba con una casa aledaña al cementerio la muerte esperaba a decenas de personas que no tenían culpas políticas; que junto con Machado y sus ministros, morirían la viuda de Vázquez Bello, sus hijos y demás familiares cercanos, el sacerdote encargado de rezar el responso y unos pobres diablos que se ganaban la vida como sepultureros.

Si a la atribulada señora no se le ocurre enterrar a su difunto esposo en Santa Clara, donde había nacido, el cementerio de Colón hubiese sido escenario de la más horrenda masacre ocurrida en Cuba, del mayor asesinato colectivo de nuestra historia. ¿Qué justificaba semejante barbarie? La Revolución. Todo lo que se haga por y para la Revolución está justificado. Un crimen no es un crimen si se comete en función de la santa causa revolucionaria. Los revolucionarios nunca asesinan; solamente ajustician.

Pío Álvarez, estudiante de Derecho, jefe de la frustrada operación, murió poco después a manos de la policía; por supuesto, se le considera un mártir. El impío joven, un muchacho de buena presencia y expresión apacible, era miembro del Directorio Estudiantil, la organización en la que militaban aquellos que se creían con derecho a juzgar, por supuesto condenar y luego matar a quien considerasen culpable de lo que fuera; a elegir, ellos solos, pero a nombre de la Revolución, al Presidente de Cuba. Reunían, como Pío Álvarez, dos características que todo lo justificaban: eran jóvenes, eran revolucionarios.

El mito de la Revolución como fuente de todo lo bueno y destructora de todo lo malo, como cura de todos los males sociales y generadora de felicidad es el peor de todos los que ocupan un espacio en la mente de los cubanos, algunos inocuos, pero no éste. El mito revolucionario destruiría nuestra nación.

UN MITO CASI BENIGNO

Si algo le debe Cuba a Fulgencio Batista es haberle puesto fin a la violencia generalizada del primer lustro de los años 30', lo que no es poca cosa. Ese proceso pacificador tuvo su culminación en la Asamblea Constituyente, de la que surgió otro mito, si bien relativamente benigno, casi tan benigno como aquellos a los que dieron lugar las guerras de independencia, pero mito al fin.

Siendo el talento empresarial la mayor de nuestras cualidades como nación y dada la importancia que ese talento tiene para la grandeza de un país, los cubanos debieran ser partidarios decididos de la libre empresa, de la propiedad como derecho inalienable e irrestricto.

No es así. Uno de los iconos políticos más reverenciados por estos seres que me son tan cercanos y al mismo tiempo tan extraños es la Constitución de 1940, plagada (porque plaga es) de influencia socialista, no por vaga menos limitante: la «función social» que se le atribuye a la propiedad, la «proscripción» del latifundio, las limitaciones a la libre contratación en el mercado laboral son disposiciones que cabría esperar que fuesen repudiadas por el exilio cubano, supuestamente formado por partidarios acérrimos del capitalismo de libre mercado. Sin embargo, difícil es encontrar uno de ellos que no esté a favor de reimplantar la Constitución del 40, considerada poco menos que un texto sagrado. Es casi unánime la admiración que provoca y una especie de artículo de fe patriótica el considerarla entre las más «avanzadas del mundo» en uso flagrante de la jerga internacional izquierdista, que llama «avance» a todo lo que se oponga al capitalismo.

Quiero insistir en que se trata de un mito benigno; durante los años, casi dos décadas, en que la Constitución del 40 estuvo vigente apenas fueron puestas en práctica las trabas socializantes. Pero están ahí, y no puedo comprender qué es lo que provoca tanta veneración por el documento que las contiene.

Los mitos que llenan nuestra historia y nuestra psiquis colectiva son casi todos laudatorios, con sólo tres excepciones: la República que desapareció a partir de 1959 para dar paso a una virtual monarquía, el llamado *gangsterismo* y uno de sus personajes, Rolando Masferrer, que poco antes de reunirse la Asamblea Constituyente había regresado de España con 21 años y tres heridas de guerra. La Republica, los falsos *gangsters* y Masferrer han sido intencional y sistemáticamente demonizados por la propaganda de comunistas y afines. De los tres trata este libro, que estaba destinado a ser una biografía y ya no lo será.

HOLGUÍN, HOLGUINEROS

Volvamos atrás. Muy atrás. Tan atrás, que más allá sólo existe la apacible barbarie de taínos y siboneyes, perturbada cada cierto tiempo por la barbarie feroz de los caribes.

Al comenzar la tercera década del siglo XX, a casi doscientos años de su fundación, Holguín aún no alcanzaba los 20 000 habitantes. Plantada en medio de una sabana poco menos que estéril a la que rodeaban tierras muy fértiles, lo bastante cercana al mar como para sentir los vientos alisios que entraban con su mayor fuerza en el tramo de costa que vio llegar a Colón, la villa había tenido una actuación protagónica en las guerras contra el poder español que nada tenía que ver con su importancia: catorce generales hubiesen sido muchos generales hasta para La Habana.

La pequeña ciudad llevaba el nombre de un capitán de Hernán Cortés, García de Holguín, el que capturara al *tlatoani* o rey azteca Cuauhtémoc a la caída de Tenochtitlán, el único de los capitanes conquistadores de México que regresó a Cuba, punto de partida de la conquista, luego que ésta se consumara. Cortés encabezó una expedición poco afortunada a Honduras; Pedro de Alvarado conquistó Guatemala, y luego quiso y no pudo tomar parte en la conquista del Tahuantisuyo, el llamado Imperio Inca; Francisco de Montejo conquistó la península de Yucatán, la parte norte del territorio habitado por los misteriosos mayas, y fundó Mérida; Diego de Ordaz se fue a navegar por el Orinoco en busca de El Dorado, que por supuesto no encontró; Gonzalo de Sandoval sometió a los chichimecas, indios salvajes que merodeaban en el territorio que hoy es el norte de México, que los aztecas, por cierto, nunca llegaron a señorear.

A diferencia de todos ellos, García de Holguín decidió que ya había tenido bastante de conquistas y fundaciones, regresó a Cuba con su botín, que no ha de haber sido poca cosa, y se asentó en el este de la gran isla, en un enorme latifundio circular que sería conocido como el Hato de Holguín.

Parece que a don García le gustaba la soledad: sus tierras estaban lejos y equidistantes de Santiago de Cuba y Puerto Príncipe. Mayor era la cercanía con Santo Domingo, en la isla Española, con el mar por medio, que con San Cristóbal de La Habana, que sería (aún no era) la capital de la Isla. La población más cercana era San Salvador de Bayamo, cuyos habitantes, devotos, por no decir fanáticos, del contrabando, sólo miraban al golfo de Guacanayabo, en el mar del sur; lo que estuviera al norte del río Cauto no les interesaba en absoluto.

En suma, que el hato de Holguín estaba, como dicen los americanos, *in the middle of nowhere,* algo así como en medio de ninguna parte. Era un lugar ignoto, donde a nadie se le había perdido nada. Allí pasó y terminó sus días uno de los conquistadores de México. Allí, en 1736, casi dos siglos después de la muerte de don García y teniendo como santo patrón a un obispo de Sevilla y Doctor de la Iglesia, se fundaría la villa de San Isidoro de Holguín.

Poco creció entre 1736 y 1925, casi dos siglos. Fuera de la cosecha de generales, en el siglo XIX sólo nació allí un personaje de importancia nacional: Emilio Ochoa, *Millo,* miembro de la Asamblea Constituyente de 1940, fundador del Partido Ortodoxo, senador. Cerca estuvo de ser Vicepresidente de la República y Presidente hubiera sido a no ser por la salida a la superficie de la perversidad subterránea que minaba nuestro país.

Rolando Masferrer, el siguiente holguinero destinado a permanecer en el recuerdo, nacería ya bien entrado el siglo XX, cuando Holguín era todavía un pueblo sin importancia.

En 1925, el Presidente Gerardo Machado, recién llegado al poder, ordena la construcción de una carretera que uniera a La Habana con Santiago de Cuba. En cinco años se terminan los mil kilómetros de camino asfaltado que constituyen la obra. Entre La Habana y Matanzas, la primera capital provincial en el camino al este, la Carretera Central, que así se le llamó y aún se le llama, forma una especie de arco para pasar lo más tierra adentro posible en el recorrido entre las dos ciudades costeras. Más allá de Matanzas toma hacia el sur hasta una distancia casi equidistante de ambas costas y a partir de ahí atraviesa las provincias de Las Villas y Camagüey por el mismo centro de la Isla, y sigue el mismo rumbo al entrar en la provincia de Oriente. Al llegar a Las Tunas debió hacer un leve giro rumbo al sur, hacia Bayamo, y de ahí correr paralela a la Sierra Maestra hasta llegar a Palma Soriano, en la misma latitud de Santiago de Cuba, y con otro giro, ese brusco, hacia la costa sur, dirigirse a la capital oriental a través de las montañas.

«Al llegar a Las Tunas debió hacer un leve giro rumbo al sur», dije; pero no lo hizo: la construcción siguió con el mismo rumbo hacia el este, llegó a Holguín y es allí donde gira hacia el sur, aunque el giro no es «leve», sino que forma un ángulo agudo que nada tiene que ver con el resto del trazado, perfectamente lógico, de la carretera. Este aparente disparate vial es producto de lo que aquí en Miami llaman «cabildeo», su autor fue Armando Infante, miembro de la Cámara de Representantes, y el resultado fue sacar a Holguín de su marasmo y convertirla en la población de más rápido crecimiento de Cuba. Justo es decir que en ninguno de los muchísimos núcleos urbanos que atraviesa la Carretera Central hubo un efecto similar.

Esa pequeña ciudad donde yo nací ha sido tratada con suma dureza por algunos escritores y artistas. Alfonso Camín dijo que allí los surcos llegaban hasta el centro mismo del casco urbano, el Parque Calixto García. Reynaldo Arenas le dedicó algunas de sus más venenosas diatribas. Guillermo Cabrera Infante la acusó de creerse espléndida. Jacobo Machover afirmó, temerario, que era una ciudad muerta. Alicia Alonso juró que jamás volvería a actuar en Holguín cuando un gato despavorido cruzó el escenario del teatro Infante mientras ella bailaba *La fille mal gardée*.

El episodio del gato y la *Prima Ballerina Assoluta*, de cuya autenticidad algunos dudan, es, sin embargo, definitorio de un rasgo típico de los holguineros; hablo de la fascinación por las bromas, que convertiría en celebridad local al adolescente Mario Torralbas, el fénix de los ingenios bromistas. Rolando compartía ese gusto de sus coterráneos por el viejo arte de embromar al prójimo.

En el siempre extenso y ya próspero municipio de Holguín de los años 40' nacieron Arnaldo Ochoa, sin parentesco con *Millo*, el militar de habla hispana con mayor destaque en el pasado siglo, y Reinaldo Arenas, al que muchos consideran un gran escritor, muchedumbre de la que no formo parte. Antes del despegue nacería Rolando Masferrer, el hombre más vilipendiado de nuestra historia, lo que no es de extrañar tratándose de un ser tan contradictorio que se me antoja simbólico de nuestro carácter nacional, a lo que se suma su enemistad con Fidel Castro, Sumo Sacerdote de la Propaganda, y con los comunistas, en cuyas filas militó un tiempo y abandonó en son de guerra.

Por cierto, de los tres «holguineros malos», como hube de calificarlos en un breve ensayo, Rolando fue el único que nació en el sector urbano del municipio. Arnaldo Ochoa nace, según algunos, en Cauto Cristo, un villorrio situado a orillas del Cauto, río que marca el límite sur del territorio municipal; según otros, en Limpio Chiquito, caserío que ni a villorrio llega. Con Arenas no hay dudas: nace en pleno campo, en un peladero llamado Perronales, tierra tan áspera y estéril como su literatura.

Elogiar la habilidad militar de Ochoa o criticar su prolongada adhesión y relevantes servicios a la tiranía que terminó por asesinarlo son, ambas, opciones válidas. En cambio, defender lo mucho que me parece defendible en Masferrer, humillador de Fidel Castro, puede ser tan inconveniente, tan políticamente incorrecto, como menospreciar la vida y obra de Arenas, ídolo literario de los homosexuales; más bien de los activistas del homosexualismo.

Ernesto Che Guevara, cuyos asesinatos ni siquiera es necesario probar, pues alardeaba de haberlos cometido, no es considerado un asesino, y miles llevan su efigie en el pecho como si fuera una mezcla de santo con estrella *pop*. En cambio, es *Res Iudicata*, Cosa Juzgada, la condición criminal de Masferrer, cuyos supuestos crímenes no son nada fáciles de rastrear; sin embargo, la fama de asesino acompaña siempre su recuerdo. En fin, que escribir sobre este mi coterráneo no es una empresa conveniente, pero yo, cuando quiero hacer algo, soy como *Pichi*, el personaje de *Las Leandras* del que ya les hablé: no reparo en sacrificios. Y ahora, en este momento, lo que quiero hacer es primero averiguar y después decir quién fue exactamente Rolando Masferrer. Aunque me temo que «exactamente» no sea un adverbio apropiado para el caso.

VOCES DISONANTES

La primera señal de que algo andaba mal en la visión que se tenía de Rolando Masferrer me llegó de muy cerca. Mi prima Lidia Sera Luque, mayor que yo, pero muy cercana a mí desde que me leía cuentos antes de que yo aprendiera a leer, había sido su compañera de curso en el bachillerato.

–Rolando era el muchacho más culto de Holguín, el que más leía –me dijo enfáticamente; *Cucha*, como le decíamos, solía ser muy enfática.

El hábito de la lectura y el ejercicio de una malvada violencia no son actividades excluyentes. Si alguna duda hubiese tenido sobre el particular, el Che Guevara, empedernido lector y contumaz asesino, me hubiese sacado de ella. Además, la opinión de mi prima podría haber estado influida por asuntos familiares. *Terina, s*u hermana mayor, estaba casada con Pedro Betancourt, con quien *Cucha* se llevaba tan bien que a su segundo hijo le puso Alejandro Pedro. Teresita Betancourt, hermana de Pedro, era la esposa de Rodolfo Masferrer, llamado por todos *Kiki*, hermano de Rolando. Las madejas familiares pueden ser complicadas y en Holguín suelen ser complicadísimas.

De todos modos, el afecto y la admiración con que *Cucha* se refería a su antiguo condiscípulo quedaron en mi memoria. No en la superficie, sino muy, muy escondidos. Reaparecerían mucho tiempo después, ya en el exilio.

No sé si fue en la primera de las muchas veces que me invitó a su programa radial. Agustín Tamargo sonrió complacido, incluso encantado, cuando me escuchó mencionar a Rolando Masferrer entre los grandes periodistas de los años 40' y 50', la época de oro del periodismo cubano. En su reacción había un elemento de sorpresa; aunque era evidente que compartía mi opinión sobre Masferrer, no estaba acostumbrado a escucharla, y menos en boca de alguien recién llegado de Cuba.

Se trata, en realidad, de una verdad poco escuchada. Tanto, que llegué a pensar que nadie fuera de su círculo de amigos, del que Tamargo formaba parte, la había formulado antes. No era así. Yo había llegado a Miami en junio de 1992. En enero, Guillermo Cabrera Infante, en un artículo publicado no sé dónde y leído por mí en su libro *Mea Cuba*, narra su primera visita, siendo niño, a la redacción de *Hoy*, el periódico del Partido Comunista del que su padre era empleado. Allí estaba Rolando Masferrer. Luego de calificarlo de «posterior *gangster* y esbirro de Batista», dice que «demostró ser uno de los mejores periodistas que ha dado Cuba, escribiendo una prosa dinámica y audaz que pedía prestado a los anarquistas, como hizo Hemingway, párrafos pujantes cargados de cojones y carajos que manejaba con soltura, sin censura». Debo señalar que ese artículo dio inicio a la enemistad entre Tamargo y Cabrera Infante. Dos párrafos después del elogio-diatriba sobre Masferrer, G. Cain agrega una frase absurda: «Hubo otros escritores en *Hoy* que serían fuera de serie donde quiera como Carlos Franqui y Agustín Tamargo». Ni siquiera el ser llamado «fuera de serie» mitigó el disgusto de Tamargo al verse metido en el mismo saco con Franqui.

No son comunes las parejas formadas por profesionales de las letras o las artes a lo Frederic Chopin y George Sand, Paul Verlaine y Arthur Rimbaud, Henry Miller y Anais Nin, Jean-Paul Sartre y Simone de Beauvoir. En Cuba sólo recuerdo la que formaban Lino Novás Calvo y Herminia del Portal, la de los pintores René Portocarrero y Raúl Milian, y mi pareja favorita, Carlos Montenegro y Emma Pérez, él por su novela *Hombres sin mujer*, ella por sus artículos y ensayos. Yo sabía que ambos habían sido colaboradores de Masferrer en su diario *Tiempo en Cuba;* lo que ignoraba era que antes habían coincidido en *Hoy* y que, junto con Tamargo, se fueron con él cuando el Partido Comunista lo expulsó, expulsión que incluyó, naturalmente, su puesto en el periódico. Montenegro y Emma Pérez, sobre todo él, fueron amigos incondicionales de Masferrer hasta que la muerte disolvió la amistad.

Wilfredo Ventura, médico cirujano, huésped del *Gulag* castrista y uno de los fundadores del Directorio Revolucionario, antes había sido Presidente de la Asociación de Alumnos del Instituto de Segunda Enseñanza de Camagüey. Un día organizó una función de cine a beneficio de un alumno afectado por la poliomielitis. La función fue un éxito: se recaudaron ochocientos pesos, suficientes para comprarle una prótesis al muchacho. Faure Chomón, que entonces era amigo de Ventura y miembro del Movimiento Socialista Revolucionario que Masferrer encabezaba, le pidió prestado el dinero para un asunto del MSR, con la promesa de que Rolando lo repondría. *Venturita* aceptó. Días después, el joven dirigente estudiantil partió para La Habana y se presentó ante Rolando Masferrer. Para su irritada sorpresa, Masferrer le dijo que no sabía nada del asunto, que Faure Chomón nada le había dicho y que no estaba dispuesto a reponer lo que Chomón había gastado.

Wilfredo Ventura es un hombre muy bueno, una especie de filántropo, pero cuando se disgusta, es capaz de embestir contra Tarzán y todos los monos del mundo juntos, y no ha cambiado espiritualmente desde la época en que se vio ante un Masferrer que se negaba a dar lo que no había prometido. Sin pensarlo dos veces, se mandó a insultar a aquel hombre a quien tantos consideraban temible (en realidad lo era), con mentadas de madre y todo. Rolando Masferrer quedo estupefacto ante la reacción del adolescente. Julio Salabarría, uno de los tipos duros del MSR, se llevó a Ventura y, ya en la calle, alivió en parte sus tribulaciones entregándole cuatrocientos pesos, la mitad de la suma prestada por la Asociación de Alumnos camagüeyana. En fin, que Ventura insultó de mala manera a Rolando Masferrer y salió indemne de la experiencia.

Como es sabido, para los jefes de hombres violentos es muy importante el respeto que se les debe. En las películas sobre la *Mafia* siciliana y otras organizaciones criminales aparece constantemente la palabra «respeto», en su versión italiana (*rispetto)* e inglesa (*rispect).*

45

Para un *capo* es fundamental el respeto que se le muestre y carece de importancia que quien le falte sea un adolescente o un anciano. Por el respeto se mata, se ordena matar. Evidentemente, Rolando Masferrer no compartía esa necesidad ni estaba en disposición de matar o siquiera maltratar a alguien que aún no alcanzaba la edad adulta.

Para ser un *gangster*, apelativo que disfrutaba mucho, Masferrer padecía de extrañas limitaciones. Pregunta obligada: si él, siendo adolescente, pudo participar en una guerra y ser herido y mutilado en ella, ¿por qué al adolescente Ventura no se le podían administrar algunos pescozones y un par de patadas en el culo? En *The Tiger,* uno de sus más célebres poemas, William Blake habla de la «aterradora simetría» (*scareful symmetry*) de la bella fiera. Rolando Masferrer, que años después llamaría «tigres» a sus hombres, era él mismo bastante asimétrico.

«Rolando Masferrer era el miedo»: con esas palabras lo describe Guillermo Cabrera Infante, que sólo lo conoció de vista. Pero no todos le temían.

Benito Fernández era un próspero hombre de negocios y *manager* de una cuadra de boxeadores que en su juventud había sido miembro de La Joven Cuba, la organización que fundara y encabezara Antonio Guiteras. Detestaba a Batista y no hacía un secreto de esa animadversión, que Batista, aunque siempre aspiró a ser amado, no tomaba represalias contra quienes se limitaran a no amarlo.

En marzo de 1957, al producirse el asalto al Palacio Presidencial por el Directorio Revolucionario, Benito Fernández fue detenido por el Servicio de Inteligencia Militar, cuyo jefe, el coronel Antonio Blanco Rico, había sido muerto a tiros poco antes por hombres de la misma organización. Benito nada tenía que ver con ella ni con los hechos de Palacio y fue puesto en libertad.

Días después iba por la Quinta Avenida de Miramar en compañía de Johnny Sarduy, su boxeador favorito, cuando un carro se les puso a la par y acto seguido se produjo un intercambio de insultos entre Benito y uno de los ocupantes del otro automóvil.

Johnny reconoció al que insultaba a su *manager* y era insultado por él: era Rolando Masferrer. Boxeador profesional, acostumbrado a la violencia desde su niñez de peleador callejero, futuro miembro de la Brigada 2506, Johnny Sarduy no se asusta con facilidad. Ese día se asustó ante la posible llegada de un aguacero de balas.

Las balas no llegaron. Johnny ignoraba entonces que Benito Fernández conocía a Rolando desde que ambos eran seguidores de Guiteras. Nada tenía que temer de él y los alegres insultos que intercambiaron eran sólo una broma entre antiguos compañeros cuyas vidas habían tomado rumbos divergentes sin que disminuyese la mutua estima.

A poco de llegar al exilio conocí a Guillermo Álvarez Guedes. No mucho después me contó su encuentro con Rolando Masferrer en New Jersey. En Cuba nunca se habían tratado, pero, como es natural, ambos sabían quién era el otro. Se vieron, se saludaron, conversaron y de la conversación surgió la invitación a un arroz con pollo en casa de Masferrer, que él mismo cocinaría. Como a Fidel Castro y a *Fats* Clemenza (el gordo *caporegime* de la familia Corleone), esos sí asesinos implacables, al holguinero le gustaba cocinar.

Ya en la casa, continuó la conversación mientras Rolando preparaba el condumio. Listo éste y puesto al fuego, surgió una pequeña dificultad.

—No hay vino —dijo aquel hombre terrible devenido en cocinero— Vamos al supermercado a buscarlo.

Al supermercado fueron, dejando en la casa a un joven puertorriqueño que Álvarez Guedes supuso era un guardaespaldas. En la sección de bebidas, Masferrer tomó una botella, y examinó la marca.

—Gallo —dijo—. Este tiene que ser bueno.

Joe Gallo, sin ninguna relación con Ernest y Julio Gallo, los hermanos viticultores de California, era entonces uno de los *gangsters* más renombrados de los Estados Unidos, en una época en que renombre no les faltaba a los señores del bajo mundo.

De regreso en la casa, el anfitrión se dirigió a la cocina para poner a enfriar el vino e inspeccionar el estado del guiso. Un momento después salió de allí y se plantó ante el joven boricua.

–¿Quién anduvo trasteando en la cazuela? –preguntó, el rostro convertido en una máscara de pétrea ferocidad.

–Yo, jefe –murmuró, atemorizado, el joven.

–¿Y por qué?

–Bueno, jefe, yo... La cazuela estaba echando mucho humo. Fui a ver si el arroz se estaba quemando.

Rolando Masferrer bajó el tono de su voz, pero lo que dijo no fue por eso menos amenazante.

–Usted está aquí para asesinar, no para cocinar.

El joven guardaespaldas, o lo que fuera, bajo la cabeza y dijo, en un murmullo:

–Perdone, jefe.

Masferrer, conmovido, se acercó a él, le palmeó la nuca y dijo, paternal:

–No te preocupes. Yo haré de ti un buen asesino. –como si no bastara, agregó, tan enfático como su vieja amiga Lidia Sera: –Un asesino integral.

De los dos, Álvarez Guedes era el actor, pero ese día Rolando Masferrer actuó para él y de paso se divirtió haciendo burla de la mala fama que lo perseguía sin llegar a alcanzarlo, entre otras razones, porque le resbalaba.

A Pedro Yanes lo comencé a tratar años después de mi llegada al exilio, cuando vendió su famosa librería en New York y, como tantos cubanos que siendo jóvenes se establecieron en el norte, al llegar a viejo vino a vivir al sur, a Miami, equipado con un sólido capital que le permitió establecerse en el nada barato sector de Key Biscayne y una fama de buena gente cuya solidez es mayor aún. Y lo más importante: de todas las personas que conozco es, quizás, la que tuvo un trato más estrecho con Rolando Masferrer; trato que no se limitó a la actividad periodística, y que ha dejado en Pedro un sentimiento de afecto y admiración que resulta llamativo dada la bondad de uno y la mala fama del otro. Ese sentimiento se ha manifestado en el entusiasmo con que recibió mi proyecto de escribir sobre el que alguna vez llamé «el terrible holguinero».

Supe quien era hace mucho tiempo, cuando yo era un adolescente loco por los deportes aunque nada dotado para ellos que leía minuciosamente la crónica deportiva de los tres periódicos diarios y las dos revista semanales que se recibían en mi casa. Yo leía no sólo sobre béisbol y boxeo, mis deportes favoritos; lo leía todo. En esas lecturas, una y otra vez, aparecía el nombre de Nicky Silverio, nadador poco menos que invencible en distancias cortas y estilo libre.
Mi memoria deportiva era un batiburrillo de nombres. Además de peloteros y boxeadores, montones de ellos, registraba nadadores y nadadoras, corredores y corredoras, basquetbolistas, futbolistas, pelotaris, remeros, tenistas, yatistas, luchadores, *jockeys* y caballos de carrera. De Adolfo Luque a Citation, cualquier cantidad de gente y algún que otro animal. Nicky Silverio fue uno más en esa legión hasta que nos encontramos en New York, por cierto, en *the Pennsylvania Station*, lugar muy apropiado para que se conozcan dos aficionados a la música. Nuestra amistad se hizo estrecha cuando Radio Martí, donde trabajaba, fue trasladada a Miami.
Aunque en su vida no ha faltado violencia, pues participó en la lucha contra Batista en La Habana, su escenario de mayor peligro, y en otros hechos que mejor los cuenta él mismo, si es que quiere contarlos, Nicky es un hombre de apariencia apacible, la antítesis de la imagen que se ha conservado de Rolando Masferrer. Sin embargo, la idea de escribir este libro es tan suya como mía, aunque de todos los que he mencionado, fue el único que no lo conoció.

La prima *Cucha*, Agustín Tamargo, Carlos Montenegro, Emma Pérez, Wilfredo Ventura, Johnny Sarduy, Guillermo Álvarez Guedes, Pedro Yanes, Nicky Silverio: son demasiados los testimonios y opiniones de gente a la que considero buena que desmienten el mito creado en torno a ese hombre excéntrico que fue Rolando Masferrer. Intentaré echarlo abajo. Por alguna razón que no puedo explicar, me siento en deuda con él.

DE HOLGUIN A TEXAS

Rolando tenía buenos orígenes familiares, con *mambises* y todo, aunque fuera del ámbito de las guerras de independencia, en las que, al parecer, todo se justifica, no le faltaron antecedentes de violencia: su abuelo Rojas, hombre notoriamente agresivo, fue asesinado en pleno parque Calixto García por alguien que quiso vengarse de una humillación. La violencia era común en la pequeña ciudad. Mi tío *Pepe* y mi abuelo *Millo* también fueron asesinados.

Hablando de los Rojas, Cornelio, primo de Rolando y oficial de la policía, fue ejecutado sin juicio en Santa Clara por orden del Che Guevara, en el más macabro fusilamiento de aquel nefasto enero. En el minucioso reportaje gráfico publicado por la revista *Bohemia*, se ve el cráneo del condenado volar en pedazos. Al parecer, la actitud desafiante de Cornelio Rojas ante la muerte le revolvió los instintos criminales a alguien.

Violencia aparte, la de Rolando era una familia respetada, y vale la pena detenerse en este asunto: los Castro de Birán, cuyos recursos económicos eran mucho mayores, no contaban con respeto alguno.

Pero recursos y relaciones no les faltaban a los Masferrer. Después de una niñez como todas, Rolando fue enviado a estudiar a los Estados Unidos, seguramente para apartarlo de Joven Cuba, la organización revolucionaria fundada por Antonio Guiteras, que marca el debut en la política del belicoso muchacho holguinero. En San Antonio, Texas, le tomaría afición a los sombreros Stetson y aprendería inglés; la primera visión que de él tiene Guillermo Cabrera Infante es de encargado de los cables en el periódico *Hoy*, «traduciendo unos rollos que salían de otra máquina maravillosa, la teletipo, que escribía sola, pero mensajes en inglés solamente».

Pronto, muy pronto, conocería otro ámbito extranjero muy distinto a Texas. En 1936, aún adolescente, partió para la España en guerra, una guerra particularmente sangrienta, como suelen ser las guerras civiles.

CAN YOU HEAR THE DRUMS ROLANDO?

C omo todos los otros cubanos participantes en la Guerra Civil Española, pelearía del lado de la República, la República Española, tan amada por tantos. Muchos cubanos, más de mil, fueron a pelear por aquella especie de novia, aquella Dulcinea del Toboso de uso colectivo. Fue el contingente mayor entre los latinoamericanos, suponiendo que los cubanos latinoamericanos sean, y formaban una hueste sumamente heterogénea que incluía al periodista Pablo de la Torriente Brau, rápidamente convertido en comisario político y muerto poco antes de llegar Rolando, al músico Julio Cueva y al luego famoso locutor de televisión Manolo Ortega. Como corresponsal de guerra estaba Carlos Montenegro y como participante en congresos literarios Nicolás Guillén.

Mucho se habla y se escribe acerca de la mala influencia de la televisión, el cine y los juegos de video en la psiquis de los adolescentes. Pero películas, seriales y juegos son sólo imágenes incorpóreas. Sumamente corpórea es la violencia que impera en los barrios habitados por negros e hispanos, y se ha convertido en algo hereditario: los adolescentes son violentos porque han crecido siendo testigos y víctimas de la violencia de los adultos.

Pero ni la violencia visual del cine, la televisión y los juegos de video, ni siquiera la material de asesinatos y golpizas puede compararse a la de una guerra. En una hora de combate pueden morir más personas que las que mueren en un año en el peor *ghetto* de Washington, Detroit o Los Angeles. Las carnicerías guerreras deben resultar impresionantes a los ojos de un adolescente, más aún si éste proviene de una tranquila ciudad provinciana

¿Qué vio allí el adolescente holguinero? Pablo de la Torriente, al que nunca conoció, que era ya en el periodismo lo que Rolando sería después, tuvo una de sus frases felices al definir el conflicto en el que moriría como un «sangriento remolino». En la II Guerra Mundial, que comenzó al terminar la Guerra Civil Española, la matanza fue de tal magnitud que la crueldad, la ferocidad y el odio que se desplegó en España parecieron quedar empequeñecidos. No fue así; tales fueron las simas alcanzadas que ni el humo de los hornos crematorios de Hitler y Himmler las ha podido ocultar.

Por supuesto, siempre se han resaltado los asesinatos cometidos por falangistas y por las tropas al mando de Franco. El asesinato de Federico García Lorca es recordado una y otra vez, pero el de José Antonio Primo de Rivera apenas se menciona. Sin embargo, Ernest Hemingway, partidario de la República, ha contribuido a develar lo que ocurría en el bando republicano con su novela *Por quién doblan las campanas,* en uno de cuyos capítulos el guerrillero llamado Pablo narra una matanza de falangistas, molidos a palos por aldeanos partidarios de la República antes de ser lanzados a un barranco vivos aún. En otros pasajes de la novela, la obra más celebre sobre la Guerra Civil, personajes reales y notorios como André Marty y Enrique Líster aparecen representados como implacables asesinos.

Santiago Carrillo, que mucho tiempo después sería Secretario General del Partido Comunista Español, tenía apenas 21 años, tres más que Rolando, cuando alcanzó una sangrienta fama al fusilar a miles de personas en Paracuellos del Jarama, un lugarejo aledaño a Madrid, a fines de 1936. La guerra acababa de comenzar; unos días después de la masacre Rolando Masferrer llegó a España en compañía de americanos izquierdistas que formaban la Brigada Lincoln.

Las guerras civiles suelen ser particularmente sangrientas, pero en pocas, quizás en ninguna, se ha derrochado tanta sevicia como en la de España. Eso fue lo que vio allí el adolescente holguinero. Y la exhibición duró años; no fue un estallido de violencia como el desmande de las turbas en La Habana a la caída de Machado, terrible, pero de corta duración.

¿Era ya comunista Rolando Masferrer cuando llegó a España? «Los viejos desconfían de la juventud porque fueron jóvenes», dicen que dijo Shakespeare. La frase es digna de tan ilustre señor, porque pocos viejos pueden llegar al nivel de estupidez que muchos jóvenes son capaces de alcanzar. Rolando tenía entonces sólo 18 años. A esa edad uno puede ser cualquier cosa y serlo de buena fe. Hasta comunista. Lo que si no cabe duda es que ya lo era cuando regresó a Cuba.

El comunismo ha tenido entre nosotros dos épocas doradas, una espontánea, la otra inducida por el poder de un caudillo despótico. La primera, que se inicia en los años 20', tuvo como gestor a Julio Antonio Mella.

La influencia que han tenido y aún tienen entre los cubanos las ideas socializantes se refleja en la simpatía que despierta el recuerdo de Mella. Sin embargo, no creo que éste significara mucho para Rolando Masferrer. Mayor impacto en su conversión tendrían los hombres que conoció durante su experiencia española, como Valentín González, llamado *el Campesino*, un jefe de milicias bajo cuyas órdenes combatió.

En España, durante la batalla del Ebro, Rolando fue herido en un pie por un obús que lo dejó cojo para siempre y momentáneamente agradecido a su buena suerte, pues mató a todos los que estaban con él. Por cierto, entre los voluntarios cubanos las bajas mortales fueron numerosas; no tengo manera de verificar las cifras pero, al parecer, la tercera parte de ellos dejó sus huesos en España. Rolando sería herido por segunda vez al recibir una rociadura de metralla en el vientre cerca de Gandesa. Una tercera herida, la que sufrió en Teruel, le dejó una llamativa cicatriz en la mano derecha.

En una de sus convalecencias estuvo más cerca de la muerte que nunca. Al hospital donde se encontraba llegó un grupo de jerifaltes soviéticos. Al frente de ellos estaba un hombre trigueño, de pelo negrísimo, que no parecía ruso. Y no lo era: el armenio Anastas Mikoyán estaba allí en plan de verdugo de ciertos combatientes por la República a los que se consideraba conflictivos o poco confiables, y ningún lugar mejor para despacharlos al otro mundo que el hospital donde estaban desarmados e inermes. Mikoyán no estaba allí para conversar, sino para asesinar, como en la puesta en escena destinada a Álvarez Guedes, pero, por alguna razón, se detuvo a hablar con el cubano herido, que mostró tal impaciencia por volver al combate que decidió dejarlo morir combatiendo, si es que ese era su destino.

Veinticinco años más tarde, cuando se encontraba en La Habana tratando de apaciguar la absurda rabieta de Fidel Castro por no haber sido tomado en cuenta para la solución de la Crisis de los Cohetes, quizás agobiado por la pérdida de su esposa, que acababa de morir, bien le hubiese venido a Anastás Mikoyán saber que el joven cubano al que no quiso asesinar era Rolando Masferrer, ante quien había huido aquel ser insoportable con el que ahora debía lidiar.

Rolando siempre sería fiel a aquella novia de la juventud que fue la República Española. Aunque resulta imposible que se le escapara lo escasas que hubiesen sido sus posibilidades de supervivencia caso de haber triunfado, habló de ella con amor hasta el fin de sus días y guardó silencio ante sus crímenes. Poco antes de morir se refirió al Santiago Carrillo que conociera entonces como «un joven inocuo y culoncito». Culoncito habrá sido y seguramente aún lo será, pero los jóvenes inocuos no suelen matar tanta gente en tan poco tiempo como Carrillo en Paracuellos del Jarama.

Por otra parte, nunca le perdonó a Francisco Franco su victoria sobre la República. Me imagino lo mucho que hubiese disfrutado la muerte del matador de su novia ideal. No pudo ser: cuando Franco murió, el 20 de noviembre de 1975, hacía veinte días que Rolando había muerto.

NOTICIAS DE HOY, LA UNIVERSIDAD, LOS PREMIOS DOLZ

E l joven veterano regresó a Cuba convertido en *el Cojo* Masferrer, sobrenombre que no parecía disgustarle. Regresó también a las aulas, primero a las de bachillerato; cosa extraña, en vez de reiniciar sus estudios en Holguín lo hizo en el Instituto #1 de La Habana, el de la calle Zulueta. Luego matriculó Derecho y se dedicó a estudiar.

Para mi sorpresa, no parece haberse interesado en la política estudiantil, convertida desde los años 20' en trampolín para la política nacional. Con la aureola que le proporcionaba el haber participado en una guerra, vivencia que, con toda probabilidad, ningún otro estudiante poseía, pudo haber sido o al menos aspirado a ser Presidente de la FEU. Sin embargo, a diferencia de Fidel Castro, que procedía de la misma zona oriental, perenne y siempre derrotado aspirante a sustituto de Mella, Rolando Masferrer fue un alumno dedicado al estudio, mientras redondeaba su presupuesto de estudiante provinciano trabajando en el periódico *Hoy*, órgano del Partido Socialista Popular, que así se llamaba entonces el partido de los comunistas cubanos.

Eran aquellos los tiempos del llamado *bonche,* palabra que debe venir de *bunch*, que significa «racimo», pero también «manada de gente»; tiempos de estudiantes violentos y poco inclinados a los libros. Los tiempos en que el profesor Ramiro Valdés Daussá pedía ser nombrado, y nombrado fue por el Rector, jefe de la Policía Universitaria con el objetivo de acabar con el *bonche*; el *bonche* acabaría con él: lo asesinaron.

Los años en que el *bonche* hace estragos en la Universidad son los mismos en que Rolando estudia Derecho. Sin embargo, no tiene la menor relación con los estudiantes-matones. Con sus antecedentes, debió haber sido el líder de los *bonchistas*, pero lo cierto es que nada tenía que ver con ellos; era demasiado distinto a aquello seres violentos y empistolados cuyas acciones no tenían sentido alguno.

Violento era Rolando y pistola siempre portaba, pero aquella violencia absurda no le interesaba; si, en cambio, el aprendizaje del Derecho. Rolando estudiaba y estudiaba mientras los *bonchístas* mataban y eran muertos. No parecía sentir ningún respeto por ellos. Cuando un *bonchista* llamado Montesinos murió, en una reunión celebrada en la Universidad se pidió un minuto de silencio por él; Rolando permaneció sentado. Luego se puso de pie y pidió un minuto de silencio por la muerte de Al Capone. Mientras los otros jóvenes violentos intentaban prevalecer a punta de pistola, Rolando Masferrer estudiaba con ahínco, aunque no puedo entender con qué objetivo, porque... Veamos:

Summa Cum Laude. Con esas tres palabras latinas se designa a los mejores estudiantes de cada promoción. En la Escuela de Derecho de la Universidad de La Habana se le añadían otras: el Premio Dolz. En la promoción de 1945 el ganador fue Rolando Masferrer.

El Premio Dolz solía asegurarle al flamante abogado un inicio promisorio en su carrera, lo cual incluía dos años como defensor de oficio con un sueldo nada despreciable; además le abría las puertas de los principales bufetes y le facilitaba el trabajar junto a letrados de renombre.

Sin embargo, al menos dos de sus ganadores no hicieron carrera en el ejercicio de la abogacía. Uno fue Carlos Aguirre, joven de familia rica cuyos padres premiaron su brillante desempeño con unas vacaciones en Europa. Era el verano de 1923, su futuro émulo tenía cinco años y Carlitos se encontraba en Bayona, en la parte francesa del País Vasco, asistiendo a una corrida de toros. En Cuba, las corridas habían sido prohibidas desde hacía un cuarto de siglo y entre los cubanos sólo permanecía el recuerdo de Luis Mazzantini, precisamente el único matador de gran fama nacido en la región vascongada, aunque portador de un incongruente apellido italiano.

Quizás fue su desconocimiento lo que llevo al joven cubano a adquirir boletos para un palco. Al ocuparlo, él y sus acompañantes se dieron cuenta lo lejos que estaban del ruedo y pagaron para mudarse a asientos de barrera, en primera fila. Ya acomodados, Carlitos le pidió a uno de sus amigos cambiar de asientos para estar al lado de una joven que le interesaba. Así quedó todo listo para la tragedia.

Uno de los matadores era el célebre Antonio Márquez, desconocido en Cuba como casi todos los grandes del toreo posteriores a la apoteosis habanera de Mazzantini, a fines del siglo XIX. En cambio, famosa fue entre nosotros su esposa, la tonadillera Conchita Piquer.

Sucedió que Márquez, luego de una estocada defectuosa, intentó un descabello, suerte en la que se utiliza una espada de tipo especial, diseñada para seccionar la médula espinal del toro y ponerle fin a sus sufrimientos con una muerte instantánea. Pero al diestro nada le salía bien ese día: la espada de descabellar apenas penetró, provocando un violento movimiento de cabeza por parte del animal, que la envió como un proyectil hacia las gradas, que muy cerca estaban. En su vuelo encontró a Carlitos Aguirre.

En *Muerte en la tarde*, su obra sobre las corridas de toros, Hemingway se refiere al suceso: «Un visitante cubano en Biarritz resultó muerto hace algunos años en la plaza de Bayona (Francia) por un estoque con el que Antonio Márquez estaba intentando un descabello». Tanta fue la conmoción, que Márquez fue juzgado por homicidio no premeditado; como es natural, fue absuelto.

El destino de Carlos Aguirre era ser el único cubano muerto durante una corrida de toros. El de Rolando Masferrer fue mucho más complejo. Tampoco llegó nunca a ejercer la abogacía. Fue como si su hazaña estudiantil hubiese sido sólo una demostración de inteligencia y tenacidad. Colgó sus títulos de Doctor en Derecho y Premio Dolz y se dedicó al periodismo y, más tarde, a la política

De estos dos brillantes alumnos de la Escuela de Derecho, Rolando Masferrer estaba destinado a alcanzar una mayor relevancia. Sin embargo, Carlos Aguirre tiene una estatua, erigida por sus padres en un terreno donado por ellos para ser convertido en parque público, aledaño al estadio universitario, entre el muro que delimita los campos deportivos y las calles San Martín, Valle y Mazón. Me pregunto si alguna vez Rolando tendrá aunque sea un busto en algún parque de Holguín.

RUPTURA CON LOS COMUNISTAS

olando Masferrer no haría huesos viejos en el Partido Socialista Popular. Tampoco en el periódico *Hoy*. De ambos fue expulsado en 1947 luego de una disputa con Anibal Escalante, hombre duro y autoritario que años después intentaría disputarle el poder a Fidel Castro.

Ser expulsado de aquella organización no era ni remotamente comparable a la expulsión de cualquier otra. Los comunistas primero expulsaban, después destruían. César Vilar había sido una figura de relieve entre los comunistas desde tiempos de Machado, casi desde la fundación del partido. En 1945 fue expulsado por *browderismo*, lo que en la jerga comunista de la época significaba algo así como tener una visión relativamente positiva del capitalismo, y su nombre provenía de Enoch Browder, comunista americano culpable de ese crimen de lesa humanidad proletaria. Expulsado fue César Vilar y a la expulsión siguió una campaña de vilipendio de tal magnitud que lo hizo desaparecer del mapa político. Hoy, sólo los memoriosos recordamos su nombre.

Los comunistas cubanos no siempre se limitaban a dar muerte política a los que habían sido y ya no eran. Una que otra vez recurrían a la muerte física, como en el caso del sindicalista Sandalio Junco, uno de los primeros negros que incursionó en la vida pública después que la matanza de 1912 convenciera a los cubanos de piel oscura y pelo inmóvil que era mejor dejar ese campo en manos de los blancos.

A muerte pública condenaron a Rolando Masferrer, personaje mucho menos importante entonces que Vilar. En aquel tiempo, los políticos del PSP apabullaban a sus opositores echándoles en cara sus pecados privados, que ellos no practicaban. A diferencia de los burgueses, ya acusados un siglo antes por Marx y Engels en el *Manifiesto Comunista* de «seducirse unos a otros sus mujeres», ellos eran puros, celosos practicantes de las altas virtudes que caracterizan al proletariado.

No funcionó con Rolando. El holguinero se llevó con él a lo mejor de *Hoy,* lo que incluyó a Carlos Montenegro, entonces en la borrascosa cumbre literaria luego de la publicación de su novela *Hombres sin mujer*, y a Emma Pérez, una especie de ariete femenino; completaban la lista, poderosa y breve, el cuentista Luis Felipe Rodríguez y Agustín Tamargo. Con ellos bastaba para hacer un periódico de fuerza. Así nació *Tiempo en Cuba*, que antes de ser diario fue semanario.

Desde sus páginas arremetió Masferrer contra quienes lo atacaban. Los conocía a todos, los conocía bien y aunque ninguno había sido herido en España, sabía de qué pata cojeaban. Los zarandeó de mala manera por la costumbre, generalizada entre ellos, pero sabiamente oculta, de mantener amantes. «La querida del político» quizás no llegara a ser una institución nacional, pero cerca estaba, y a la cercanía contribuían generosamente los supuestamente impolutos comunistas. En cambio, el joven periodista mostraba inclinación a la monogamia, lo que fortalecía su posición en el conflicto.

Blas Roca, que había seducido a la esposa de un miembro sin importancia del Partido, y Joaquín Ordoqui, que hizo los mismo, pero convirtiendo en cornudo al también dirigente Carlos Rafael Rodríguez, quedaron muy mal parados, aunque el que salió peor fue, quizás, Juan Marinello. Vástago de una rica familia villareña convertido al comunismo, su aspecto y maneras de patricio, así como su cultura lo llevaron a ser el mascarón de proa ideal de un partido encabezado en buena medida por negros y mulatos. «La gente de color», que había desaparecido de la actividad política después de su desastroso enfrentamiento con el poder blanco en 1912, regresaba de la mano de Marx, *Lenin* y *Stalin*; ni siquiera bajo el castrocomunismo ha habido en Cuba un partido político con tan señalada característica racial. El blanco, aristocrático e intelectual Marinello estaba que ni mandado a hacer para encubrir aquel fenómeno.

Marinello, retratado por pintores de fama, calificado de «eminente» por Pablo Neruda, no era rival para el joven holguinero, que lo demolió sacando a relucir la aventura entre una alumna de la Escuela Normal y el profesor a quien todos tenían por esposo ejemplar.

Por cierto, la muchacha, que ganó una notoriedad indeseable, era de mi clan familiar. Adolfo Luque, retirado hacía tiempo como jugador, estaba entonces en la cima de su gloria como *manager*. No hacía mucho que su hija Olga había ganado competencias internacionales de natación. La alumna Luque de la Escuela Normal fue la tercera persona de ese apellido en alcanzar renombre, aunque limitado y efímero, víctima indirecta del empeño de los comunistas en destruir a Rolando Manferrer. En todas las guerras hay víctimas civiles.

Los comunistas levantaron discretamente la bandera blanca. Consecuencia duradera del conflicto fue la revista *Tiempo,* convertida luego en el diario *Tiempo en Cuba*, que se mantendría hasta enero de 1959, cuando otro enemigo espiritualmente vapuleado por Rolando ascendió al poder absoluto.

La derrota sufrida por los comunistas fue el punto de partida de la leyenda negra de Masferrer. Los comunistas perdieron aquella batalla, pero no la guerra. Maestros de la calumnia, se convirtieron en el refuerzo ideal de otro calumniador a quien Rolando humillaría más tarde, aunque de muy distinta manera. Buen trabajo hicieron: hoy, la mayor parte de los cubanos tiene una imagen negativa de Rolando Masferrer.

No creo posible encontrar mejor ejemplo de esa injusta actitud que el párrafo que leerán a continuación, escrito hace casi veinte años, en el que se habla de dos cubanos que combatieron en la Guerra Civil Española:

«De esos cientos de combatientes, algunos murieron, como Pablo de la Torriente Brau, un hombre de gran talento y energía, y lleno de amor por sus semejantes; allí dejó su vida el alegre Pablo. En cambio, Rolando Masferrer, dotado también de sobresalientes cualidades, anuladas por una intrínseca maldad, sólo dejó un carcañal y regresó a Cuba para matar cubanos».[1]

---

[1] Roberto Luque Escalona, *Los niños y el Tigre*, capítulo V.

BALADA DEL GATILLO ALEGRE

Hasta llegar a la segunda mitad de la década de los años 40' todos los mitos habían sido laudatorios, propiciadores de alabanza y adoración. En la época señalada nacen y se desarrollan los mitos demonizadores. El de mayor envergadura será el de la República corrupta, dócil ante la voluntad de los americanos, plagada por la miseria y la violencia, cuya manifestación definitoria será el llamado *gangsterismo*, que a su vez tendrá como figura representativa a Rolando Masferrer. El mito mayor, el de la república despreciable, lleva en sí mismo a los dos menores, uno colectivo, otro individual.

El mito del *gangsterismo* es uno de los más falaces, pero también uno de los más sólidos productos de la mitomanía nacional. Los llamados «grupos de acción» pudieran ser considerados como una forma desarrollada del *bonche* universitario, aunque debe señalarse que sólo un *bonchista*, Antonio Morín Dopico, llegó a tener cierta importancia en la nueva versión del culto a la violencia.

Rezagos de la revolución contra Machado, dicen algunos. Rezago tardío, muy tardío, porque Machado cayó en 1933 y ya estábamos a mediados de la siguiente década. Además, casi todos ellos eran demasiado jóvenes para haber participado en aquella barahunda de disparos y explosiones. En realidad, eran algo así como revolucionarios en busca de una revolución. Para desgracia de ellos y fortuna de la Humanidad, las revoluciones no son tan fáciles de encontrar como algunos piensan. Cuando tuvo lugar la siguiente de esas devastadoras epidemias sociales, solo dos miembros de los grupos de acción participaron en ella: Fidel Castro, de la Unión Insurreccional Revolucionaria (UIR), y Faure Chomón, del Movimiento Socialista Revolucionario (MSR), ambos de segunda fila.

Se les bautizó con una palabra extranjera y peyorativa, «*gangsters*», y con una frase que sonaba poco menos que amigable, «los Muchachos del Gatillo Alegre». La denominación poco importaba; los métodos sí. Eran, en efecto, los mismos que empleaban los pandilleros americanos y sicilianos: plomo y plomo con los del otro bando, con los de la otra banda. La diferencia estaba en los fines. Los objetivos del llamado «crimen organizado», la *Mafia* siciliana, la *Cosa Nostra* ítaloamericana, y las pandillas judías e irlandesas eran sumamente claros, y se podían resumir en una palabra: dinero. Mucho más difícil es rastrear los que impulsaban a los grupos de acción cubanos; quizás sería mejor decir habaneros, pues a la capital se limitaban sus acciones.

¿Dinero? Unos cientos de pesos al mes con la obtención de «botellas», puestos gubernamentales en los que se cobraba sin trabajar, parece un objetivo muy modesto si se tiene en cuenta que los pandilleros de New York, Chicago, Los Angeles y Palermo no se la jugaban por menos de miles. Y miles obtenían... mientras lograran mantenerse vivos. Aunque el narcotráfico era entonces incipiente, el juego ilícito, la extorsión, el contrabando, el control de sindicatos y las redes de prostitución proporcionaban unas ganancias que sus aparentes émulos de La Habana ni soñaban alcanzar; tampoco mostraron el menor interés en ese tipo de actividades.

¿Poder? Algunos recibieron grados de oficiales de la Policía Nacional en tiempos de Grau, pero ninguno estuvo ni siquiera cerca de controlar ese cuerpo. Cosa curiosa, comandante, el grado que tenían los de mayor renombre entre ellos, fue el que Fidel Castro escogió para sí y para sus secuaces más allegados, el que sus imitadores latinoamericanos llevaron y aún llevan.

En cuanto a hacer carrera en la política, los únicos de los llamados *«gangsters»* que alcanzaron una posición destacada fueron Rolando Masferrer, elegido Representante a la Cámara en 1948, y Manolo Castro, Director de Deportes en el gobierno de Grau. De los otros, no hubo uno que llegara ni a consejal por Guanabacoa.

Sindicatos, sólo controlaron el del transporte urbano con Marco Antonio Irigoyen. En la Federación Estudiantil Universitaria alcanzaron la Presidencia con Manolo Castro y la Vicepresidencia, con Justo Fuentes, ambos muertos de mala manera, pero el liderato estudiantil, debilitado por la mala fama que le proporcionó el *bonchismo*, no era entonces lo que había sido en los años 30' y volvería a ser en los 50'. Sin embargo, nuestros *gangsters* arriesgaban tanto como cualquier miembro de «familia mafiosa». Mataban igual, morían igual. Lo distinto era la renumeración, la recompensa por vivir en peligro.

Creo que debo repetir algunas de las características de este fenómeno que ya hube de señalar en *Los Niños y el Tigre*. No importa si me repito, pues importantes me parecen:

Todos los llamados *gangsters* eran jóvenes; los mayores apenas rebasaban los 30 años. Casi todos eran blancos; esta especie de monopolio racial lo rompían los mulatos Policarpo Soler y Justo Fuentes, y uno de poco relieve, el negro Cobiellas. Muchos eran conocidos por sus alias, reflejo del hampa verdadera: *el Colorado, el Extraño, el Italianito*. Algunos tenían antecedentes universitarios, como Manolo Castro, Justo Fuentes y Eufemio Fernández pero sólo tres llegarían a graduarse: Eufemio, Rolando Masferrer y Fidel Castro.

Un detalle intrascendente pero que me parece curioso es la abundancia de descendientes de libaneses, un grupo humano poco numeroso en Cuba: a Vicente Lerro, *el Italianito*, podrían haberle llamado *el Morito,* pues era Kairuz por línea materna; también estaban José Fayad, *el Turquito*, y José de Jesús Jinjaume.

Tres eran los grupos principales: El Movimiento Socialista Revolucionario (MSR), en el que militaban Masferrer, Manolo Castro, Eufemio Fernández y Julio Salabarría; la Unión Insurreccional Revolucionaria (UIR), de Emilio Tro, Antonio Morín Dopico, José de Jesús Jinjaume, Armando Correa y el entonces insignificante Fidel Castro; y la Acción Revolucionaria Guiteras (ARG) de *el Extraño* Jesús González Cartas, *el Colorado* Orlando León Lemus*, Cucú* Hernández Vega y el sindicalista Irigoyen. Es de señalar que la palabra «revolucionario», mágica para la mayoría de los cubanos, no faltaba en ninguna de los tres.

Muchos muertos y no pocos atentados fallidos hubo, entre ellos varios contra Masferrer, que se reveló como una presa sumamente difícil; tanto, que entre el primer intento perpetrado en La Habana por Fidel Castro y un acompañante, y la bomba que lo despedazó en

Miami median casi tres décadas. Curioso: fácil es detallar las veces que se intentó asesinar a Rolando; difícil es, en cambio, saber de aquellos a los que supuestamente asesinó. A los atentados contra él habría que sumar el ejecutado contra su hermano Rodolfo, baleado en la puerta de su consultorio en Holguín. *Kiki* Masferrer estaba dedicado entonces a su carrera de dentista; intentar matarlo fue sólo una muestra más del odio que generaba Rolando en algunos.

Ahora, examinemos nuestras propias palabras. «Muchos muertos». He ahí uno de los tantos mitos que han nutrido la vida política de nuestro país. En Bogotá, Cali o Medellín; en Río de Janeiro y Sao Paulo; a veces en ciudades no precisamente grandes como Acapulco, Mazatlán, Ciudad Juárez y Tijuana, en una semana pueden morir más personas en enfrentamientos entre grupos de narcotraficantes que las que murieron en La Habana en los varios años que duró el llamado *«gansterismo»*.

En La Habana de tiempos de Grau y Prío, en el apogeo de las pequeñas guerras entre los grupos de acción, los muertos eran, casi siempre, de uno en uno. Cuando esa norma se rompía, como en el caso de los estudiantes Massó y Regueiro, dos violentos adolescentes cuya muerte temprana me resulta difícil lamentar, el caso se hace digno de recordación.

En la manifestación más espectacular del *«gansterismo»*, la llamada «batalla de Orfila», miembros de la UIR mandados por el comandante de la policía Emilio Tro, jefe del Servicio de Investigación e Informaciones Extraordinarias (SIIE; les juro que se llamaba así) y de la Academia de la Policía Nacional, se enfrentaron a hombres al mando del también comandante Mario Salabarría, jefe del Servicio de Actividades Enemigas, que pusieron sitio a la casa del reparto Orfila donde vivía el comandante Antonio Morín Dopico, jefe de la policía de Marianao. El intercambio de disparos duró varias horas, pero el número de muertos fue ínfimo: cinco, más un herido que murió después.

Supongo que habrán notado que los contendientes, además de *«gangsters»*, eran policías, varios de ellos de alta graduación. Aquello fue un enfrentamiento entre policías avalado por una orden judicial de detención contra Emilio Tro; nada que ver con la masacre de los hombres de *Bugs* Moran por los de Al Capone en Chicago, un día de san Valentín.

Entre los pocos que murieron aquel día estuvo Aurora Soler, esposa de Morín Dopico, dueño de la casa sitiada. Fue impresionante verla morir. Todos vimos cómo murió, porque el camarógrafo Eduardo Hernández, *Guayo*, se metió en medio de la balacera y filmó su muerte, así como la de Tro y la del teniente Luís Padierne. Ahora pienso que aquella hermosa mujer y el niño o niña que llevaba en su vientre fueron de las pocas victimas no beligerantes de la violencia de aquella época. Nuestros *gangsters* se limitaban a matarse unos a otros, no solían disparar a boleo, sino centrando sus disparos en la persona a la que querían matar, y todo parece indicar que eran buenos tiradores. Fidel Castro, de la UIR, era uno de los pocos con mala puntería: le disparó a tres y falló en dos ocasiones.

Por eso debo preguntarme si, en realidad, era tanta la violencia que existía en Cuba en aquellos años, y si lo era, por qué tres sujetos se hicieron famosos y sus nombres son aún recordados simplemente por asaltar un banco. ¿Saben cuántos asaltos a bancos tenían y tienen lugar en el mundo? ¿Cuántos han sido perpetrados por izquierdistas que siguen la línea de Fidel Castro, del Che Guevara, de Mao Ze-Dong o Tse-Tung, de éste o aquél bribón en gran escala? Los Tupamaros uruguayos, lo Montoneros argentinos, los Macheteros puertorriqueños, el M-19 colombiano, por sólo citar los grupos de mayor celebridad, han asaltado bancos y camiones blindados que transportaban dinero sin que se les tilde de *gangsters*.

Si era tanta la violencia, ¿qué tenía de extraordinario que se asaltase un banco? ¿Por qué los nombres y los alias de los asaltantes, Enrique Dobarganes, *Guarina*, Jesús Rivero Prendes, *el Chino*, y uno de quien sólo el mote ha quedado en mi memoria, *Tata el Flaco*, aún se mantienen en el recuerdo? Su leyenda se reforzó cuando se fugaron del presidio de Isla de Pinos. *Guarina* fue muerto a tiros y al *Chino* Prendes se lo tragó la tierra (o el agua o el fango de la ciénaga de Lanier). *Tata el Flaco* logró llegar a México donde continuó su carrera delictiva, volvió a la cárcel y en ella fue asesinado por otro preso pagado por un jefe de pandilla al que había estado a punto de matar.

Guarina, el Chino Prendes y *Tata el Flaco* no eran simples rateros, pero tampoco grandes delincuentes. Si alcanzaron la fama fue por comparación, porque el nivel delictivo en Cuba era bajo, a pesar de todo lo que se ha dicho y escrito sobre los *gangsters* y sus grupos de acción. Bajo era el nivel delictivo y bajo era también el de violencia. Basta compararla con la de los *cartels* del narcotráfico en Colombia y México, incluso con las llamadas *maras* salvadoreñas, unos y otras formadas por implacables asesinos como los que nunca se vieron en Cuba.

Además del asalto a instituciones bancarias, otra actividad delictiva que proporciona dinero fácil y abundante es el secuestro. En épocas posteriores ha sido ampliamente practicado. En Cuba estuvo uno de sus pioneros, de sus primeros practicantes. Hablo, en realidad ya hablé, de Antonio Guiteras y de su organización, La Joven Cuba, cuya mayor acción fue el secuestro del magnate azucarero Eutimio Falla Bonet, por la que obtuvo una suma que jamás estuvo al alcance ni siquiera de la imaginación del más imaginativo miembro de los grupos de acción de la siguiente década. Dicho secuestro fue el hecho delictivo de mayor envergadura llevado a cabo por Guiteras y sus hombres; no el único: también asaltó un banco en holguín, la Administración de Correos en Santiago de Cuba, al Ayuntamiento de La Habana. Sólo el secuestro de Falla le produjo 300 000 pesos. Pero a ninguno de los llamados *gangsters* se le ocurrió llevar a cabo algo parecido; ni siquiera a Rolando Masferrer, seguidor de Guiteras en su adolescencia, aunque nada genera más imitación que el delito impune y lucrativo.

Los Muchachos del Gatillo Alegre ni lo intentaron, aunque intentarían operaciones más complejas y peligrosas. Antonio Guiteras lo hizo, y lo hubiera seguido haciendo si no hubiese muerto al año siguiente. Sin embargo, jamás he leído o escuchado que a Guiteras se le califique de *gangster*.

¿Lo fue? Ni de lejos. Sus acciones, inequívocamente delictivas, no estaban destinadas al lucro personal. Como Rolando Masferrer, su juvenil seguidor, el enriquecimiento no era una meta en su vida. *Gangster* no fue Antonio Guiteras; tampoco los que vinieron después, varios de los cuales tomaron su nombre como bandera.

Son demasiadas cosas, demasiados factores como para tomar como buena la etiqueta *gansgteril*. Cuba es un país generador de mitos. Ese fue uno de ellos. Pero yo estoy harto de mitos. Por eso, no ya a Masferrer, ni siquiera a Fidel Castro, el hombre más destructivo de nuestra historia, lo calificaré de *gangster* por su militancia en la UIR.

Lo que resulta curioso es que habiendo sido Fidel Castro parte de una de aquellas pandillas y habida cuenta de su manía de rescribir la Historia, aún se mantenga oficialmente la etiqueta negativa para este peculiar fenómeno. Creo que la respuesta está en la poca preeminencia que en él alcanzo el futuro tirano. De niño, yo conocía por sus nombres y motes a por lo menos una docena de aquellos hombres violentos. Entre esos nombres no está el de Fidel Castro. Por una u otra razón, sus esfuerzos por destacarse no tuvieron éxito.

¡Y vaya si se esforzó! Estuvo en el equipo de apoyo al grupo que asesinó a Manolo Castro; intentó asesinar a otro estudiante, Leonel Gómez; asesinó a Oscar Fernández Caral, miembro de la Policía Universitaria; por último, realizó una desdichada (para él) intentona contra Rolando Masferrer. Sin embargo, nunca paso de ser una figura de segunda fila y no es frecuente relacionarlo con una actividad en que tantos se destacaban. Porque dinero no había mucho; fama si. Si a alguno de aquellos peligrosos sujetos se le hubiera preguntado qué buscaba viviendo en peligro, hubiese podido contestar con una frase cantada por Jorge Negrete en una ranchera entonces de moda: «Saberme *afamao*».

LA ALUCINANTE EXPEDICIÓN DE
CAYO CONFITES

O tro detalle que distinguía a estos hombres era su proyección política. ¿Se imaginan ustedes a Al Capone, *Lucky* Luciano, Vito Genovese, Meyer Lansky o *Bugsy* Siegel organizando una expedición armada para derribar un gobierno? La expedición contra el odiado Rafael Leonidas Trujillo fue una «cubanada» antológica, muy dentro de la tradición nacional de ir a meternos donde no nos llaman, que comenzó en la década del 40 del siglo XIX con Domingo Goicuría desembarcando en Centroamérica para apoyar a William Walker, continuó con la masiva participación en la Guerra Civil Española y culminó con las aventuras «internacionalistas» en Africa de los hombres de Fidel Castro. Debo decir que el pago por los cubanos desvelos ha dejado mucho que desear, pero merecida es tal ingratitud, por meter las narices en asuntos que no son de nuestra incumbencia.

Pues bien, en 1947, varios de los más connotados personajes de los grupos de acción, encabezados por Rolando Masferrer y Eufemio Fernández, en connivencia con políticos dominicanos refugiados en Cuba, incluidos Juan Bosch (que luego sería Presidente) y Juan Isidro Jiménez Gruyón, decidieron que la Era de Trujillo debía terminar. Esto podía decirse de otra manera: «Los *gansters* cubanos decidieron derrocar al dictador de la República Dominicana».

¿Verdad que suena absurdo? Los *gangsters* verdaderos no se dedican a tales menesteres. Sucede que Rolando, Eufemio, y los otros, incluyendo al propio Fidel Castro y a su enemigo de igual apellido, Manolo, no eran verdaderos *gangsters*.

Los participantes en la expedición contra el déspota dominicano, que pasaban de setecientos, se concentraron en una isleta llamada Cayo Confites. En una extraña manía adquirida en décadas recientes, a los cubanos les ha dado por minimizar el tamaño de Cuba, una de las islas más extensas que existen. Entre las frases que ilustran tan absurda inclinación, quizás la más ridícula sea la que describe a nuestra gran isla de mil doscientos kilómetros de largo como «una pequeña islita perdida en el Caribe». Una pequeña islita perdida no en el Caribe, sino en el Canal Viejo de Bahamas, en el Atlántico, es Cayo Confites. Tan perdida está, que encontrarla es toda una tarea. Pero existe. Está en alguna parte, en la cayería que se extiende al norte de las provincias de Las Villas y Camagüey.

Aquella aventura me recuerda otra posterior, en 1959, cuando César Vega, un bravo de menor cuantía, pequeña estatura y gran belicosidad que había participado en lo de Cayo Confites, desembarcó en la costa caribe de Panamá con un grupo exiguo por su número; no obstante, causó gran conmoción en el país itsmeño.

¿Qué hubiera sucedido en la República Dominicana si se produce el desembarco de un contingente de setecientos cubanos fuertemente armados, llevando al frente a conocidos hombres de acción, que incluso eran veteranos de guerra?

Trujillo era un hombre abominable, pero la cobardía no estaba entre sus defectos. No puedo imaginarlo escapando al escuchar el grito de «¡Los cubanos llegaron ya!» como si los que llegaban marcianos fueran. Aunque una cosa es Trujillo y otra sus esbirros. Lo cierto es que nunca sabremos lo que hubiera sucedido, porque intrigas palaciegas encabezadas por el general Pérez Dámera, jefe del Ejército, hicieron fracasar la expedición: el Presidente Grau, ya en las postrimerías de su gobierno, decidió detener la intentona y envió para ello a unidades de la Marina de Guerra, que hicieron prisioneros a los expedicionarios.

Poco tiempo duró la detención, que Trujillo, quien jamás mostró animosidad alguna contra los cubanos, era muy odiado en Cuba y no resultaba conveniente mostrarse amigable con él u hostil con sus enemigos. Recuerdo la deferencia con que mi padre trataba a Juan Isidro Jiménez Gruyón, que lo visitaba a menudo en su condición de vendedor viajante de productos farmacéuticos. Si era enemigo de Trujillo, tenía que ser bueno.

Entre los frustrados expedicionarios de Cayo Confites estaba Fidel Castro, quien había solicitado los buenos oficios de Eufemio Fernández ante Rolando Masferrer. ¿Para que lo aceptara? Setecientos hombres parecen muchos; no tantos como para que los jefes se dieran el lujo de rechazar a nadie. Lo que Fidel recabó de Eufemio fue la seguridad de que Rolando, a quien había intentado matar, no lo mataría cuando estuviesen los dos en el remoto cayo. Rolando aceptó. Hay varias versiones sobre la frase que utilizó para hacerle saber a Eufemio su aceptación. Escogí la única que me parece lógica de acuerdo a los antecedentes de esta rencilla:

–Fidel es una mierda, pero dile que venga.

Rolando cumplió la palabra dada a Eufemio Fernández y respetó la vida de Fidel, lo cual demuestra que la caballerosidad, como otras virtudes, puede tener consecuencias catastróficas. En cuanto a Eufemio, tendría oportunidad de arrepentirse no ya de haber evitado que Rolando matara a Fidel, sino de no haberlo matado él mismo. Luego que la Marina de Guerra hubiese intervenido para hacer abortar la intentona contra Trujillo, una discusión provocó que Eufemio abofeteara al futuro dictador. Cuando el futuro se hizo presente, Fidel Castro condenó a muerte a Eufemio Fernández. Fue uno de los primeros fusilados no pertenecientes al gobierno de Batista, aunque no estoy seguro si lo mato para vengarse de la bofetada o de otro agravio mayor.

En aquel tiempo yo tenía diez años. Por algún inexplicable motivo, mi recuerdo más vívido de la expedición de Cayo Confites es el nombre de uno de los barcos que debían llevar a su destino a los expedicionarios. Se llamaba *El Fantasma*.

GANGSTERS, BUSINESSMEN Y HITMEN

O tro factor diferenciante entre «los Muchachos del Gatillo Alegre» y los verdaderos *gangsters,* los reales y sus reflejos del cine y la literatura, es la manera como se veían a sí mismos, o más bien, lo que querían ser a los ojos de los demás.

De todas las ficciones que reflejan el mundo de la *Mafia* italoamericana, ninguna tan célebre como *El Padrino.* Muchos han leído la novela de Mario Puzo, pocos son los que no han visto la película de Francis Ford Coppola que en ella se basa. Quienes la vieron seguramente recordarán a Virgil Sollozzo, alias *el Turco,* personificado por Al Lettieri, un actor de poca fama e impresionante presencia.

Recordemos. Los esbirros del *Turco* Sollozzo han puesto a Don Corleone al borde de la muerte, luego que éste se negara a cooperar con el narcotráfico; el propio Sollozzo, en una exhibición de sus habilidades como cuchillero que ha de haber entusiasmado a Borges, inmoviliza a Luca Brassi clavándole la mano derecha en el mostrador del *bar* de Bruno Tataglia para que otro de sus hombres estrangule con una cuerda al formidable y hasta entonces invicto matón de los Corleone; por último, sin siquiera poner mala cara, secuestra al *consigliere* Tom Hagen cuando éste sale de una tienda con sus compras navideñas. Todo un recital *gangsteril.* Luego, en la penumbra de un largo salón adonde ha llevado a Hagen, Sollozzo le dice, con la «impresionante dignidad» que Puzo le atribuye y la actuación de Lettieri le aporta:

–I don't like violence, Tom. I'm a business man.

¿Se imaginan a Tro, al *Colorado,* al *Extraño,* a los universitarios Fidel Castro, cuyo padre tenía bienes de fortuna, Manolo Castro, casi ingeniero, al doctor Eufemio Fernández, incluso al culto, leído, escribido y también doctor Rolando Masferrer, dueño de un diario, calificándose a si mismos de negociantes?

Tanto Sollozzo como los Corleone, tanto Al Capone como *Lucky* Luciano querían ser vistos como hombres de negocios. Para los Muchachos del Gatillo Alegre tal visión hubiese sido poco menos que insultante.

Boris Goldenberg era un judío izquierdista no sé si alemán, francés o ruso, que llegó a Cuba en algún momento de los años 40' y se unió al MSR. En 1951 Rolando propone a Rubén de León como candidato presidencial del Partido Auténtico. De León, entonces Ministro de Defensa del gobierno de Prío, era uno de aquellos estudiantes auto-nombrados Grandes Electores de la República en septiembre de 1933, y su desempeño posterior había sido algo tormentoso. Goldenberg, uno de esos hombres que nunca acaban de decidirse sobre qué postura tomar ante la violencia, se escandaliza con la propuesta de Masferrer.

–¡Pero sí es un *gangster*! –dice.

–Todos lo somos –contesta Rolando– Sólo Chibás no es un *gangster*, y está loco.

La anécdota puede ser cierta o no, pero es del todo creíble y muy ilustrativa.

He ahí dos hombres violentos, Rolando Masferrer, un cubano real, y Virgil Sollozzo, un ítaloamericano imaginario, pero reflejo fiel de la realidad. El primero, «un muchacho de buena familia», es un político y periodista que parece como si quisiera ser considerado un *gangster*. El segundo, un aldeano o campesino siciliano, es un *gangster* que quiere ser considerado un hombre de negocios. Quizás sea una mezcla de la modernidad americana con la visión siciliana de la vida: todo *mafioso* se considera a sí mismo *un huomo di honore,* un hombre de honor. Pero los cubanos no somos sicilianos ni a ellos nos parecemos; sólo nos une la condición de isleños y, quizás, una exagerada autoestima. Aunque europeos, ellos estaban muy por debajo de nosotros en cuanto a niveles de civilización, dicho sea *con tutto rispetto.* En Cuba, el cine de los años 30' y 40' fomentó la admiración por los hombres violentos, pero no pudo borrar la noción de que un *gangster* es un delincuente.

Por último, en el capítulo de las deferencias es imposible pasar por alto la abundancia de agentes libres, *freelancers* o como se les quiera llamar a aquellos que no pertenecían a ningún grupo, que actuaban por si y para si.

La literatura y el cine han dado celebridad a la figura del matón solitario, que alquila sus servicios a quienes puedan pagarlos, y ataca y mata a personas con las que nada tiene que ver. Frederick Forsyth, en su novela *El Día del Chacal*, creó el paradigma de este tipo de asesino independiente. Otro ejemplo es el Jeff Costello, personificado por Alain Delon en el filme de Jean-Pierre Melville *El Samurái*. Sin embargo, por la propia literatura y sus secuelas cinematográficas nos enteramos que las organizaciones *gansteriles* prefieren tener sus propios *hitmen*; antes, cuando querían utilizar a alguien fuera de la organización, acudían a Murder Incorporated, que se dedicaba a proveer ese tipo de servicio. Poco espacio hay para asesinos por cuenta propia.

Salvatore Giuliano, *Turidu* para los suyos, era un bandido siciliano que alcanzó fama internacional y mucho renombre en Cuba; tanto, que Vicente Lerro, *el Italianito*, que por su edad era un verdadero «muchacho de gatillo alegre», se hacía llamar «el Giuliano de América». Salvatore Giuliano no era un *mafioso*, sino un bandolero al estilo antiguo, el de Luis Candelas en España y Manuel García en Cuba. Poco duró. Una noche fue emboscado y asesinado, y nada tendría de particular que la *Mafia* tuviese algo que ver con su muerte. A los criminales organizados no les gustan los que andan por su cuenta; por eso son tan escasos los *freelancers*.

Por el contrario, en el falso *gangsterismo* criollo abundan los independientes y entre ellos hay figuras de importancia en el ambiente. Mario Salabarría y Policarpo Soler no pertenecían ni pertenecieron nunca a ningún grupo. Tampoco *el Italianito*. Orlando León Lemus, *el Colorado*, no se unió a ninguno luego de separarse de la ARG. Además, a diferencia del *Chacal*, de Jeff Costello y sus colegas de la realidad, estos independientes no alquilaban sus mortales habilidades. *El Colorado* ayudó a Policarpo Soler en los asesinatos de los hermanos Noel y *Wichy* Salazar, hombres de la UIR, uno de los cuales (o ambos) había invadido un territorio femenino que Policarpo consideraba suyo, pero lo hizo por amistad; nada recibió por sus servicios.

COMO EN LAS PELÍCULAS: *THE END*

En suma, si no eran *gangsters*, ¿qué eran estos violentos sujetos? Revolucionarios. Ni más ni menos que revolucionarios. Como Guiteras. Solo que no tuvieron una revolución que le diera sentido a su violencia, que la justificara, que la cubriera con el manto de una Gran Causa que beneficiaría a...; a quienes fueran. Nacidos demasiado tarde para participar en la revolución contra Machado, llegaron diezmados a la época de la revolución contra Batista, y su actuación está indisolublemente ligada a los gobierno de Grau y Prío, cuyo partido se autocalificaba de «Revolucionario Auténtico». El mito del *gangsterismo* comenzó a disiparse en 1951. Nadie lo sabía, pero a Prío le quedaban pocos meses en el poder.

En mayo de ese año, tras laboriosas negociaciones que tuvieron como principal impulsor a Eufemio Fernández, los grupos de acción firmaron un acuerdo por el que se comprometían a suspender hostilidades y renunciaban a tomar venganza por agravios, por muy graves que estos fueran. ¿Hubiera sido respetado? Imposible saberlo. De todos modos, el fin de aquel extraño fenómeno de nombre tan impropio estaba cerca. Diez meses después tuvo lugar el golpe militar del 10 de marzo y Batista no quiso correr riesgos con unos individuos tan empecinadamente belicosos.

Lo primero que hizo fue atraer a su bando a Rolando Masferrer, el más peligroso de todos. Neutralizado Masferrer, muerto Tro y encarcelado Mario Salabarría por los sucesos de Orfila, Batista decidió quitar de en medio a los demás. Para ello comisionó a Lutgardo Martín Pérez, uno de los más duros oficiales de la policía.

Martín Pérez había adquirido notoriedad precisamente junto a Rolando Masferrer. Juntos estaban una noche frente a la escalinata del Capitolio Nacional cuando les comenzó a llover plomo procedente de unos autos que pasaban. Ambos hombres se lanzaron al suelo, apagaron a tiros las farolas que iluminaban ese sector del Paseo del Prado y devolvieron el fuego. La escena me hace recordar a otro Rolando, el entonces timbalero Rolando Laserie, que luego sería famoso como cantante. «¡De película!», gritaba Laserie cuando algo provocaba su entusiasmo, grito que se convirtió en su marca de fábrica.

Comenzó la cacería. Martín Pérez cazó al *Colorado*; luego al *Italianito*. También al *Guajiro Salgado*, de menor renombre. Los otros concluyeron que la cacería iba en serio y huyeron al extranjero.

¿Cobardía? No. Estos sujetos no eran en absoluto cobardes. Precisamente, el nivel de coraje que prevalecía entre ellos, inalcanzable para Fidel Castro, fue lo que impidió que éste se destacara en ese ámbito. Acostumbrados a ser tolerados por las autoridades, a ser muchos de ellos parte de la autoridad en su condición de oficiales de la policía, enfrentarse a un gobierno hostil les resultó tan incomprensible como insoportable, y comprendieron que sólo la huída podía mantenerlos vivos. Huída sin dificultades, pues Batista había ordenado combinar la cacería con el puente de plata para los que quisieran irse.

Además, no es cobarde el que huye ante un poder al que no puede enfrentar. Policarpo Soler huyó a Santo Domingo, donde fue bien recibido por Trujillo, que mostraba una extraña deferencia para con los cubanos, extraña si se tiene en cuenta lo hostilidad que estos le habían demostrado siempre. El hecho es que recibió a Policarpo y lo nombró matón de *elite*. Hasta un día en que el destino los enfrentó y, como tenía que ser, Policarpo murió, no precisamente como un cobarde.

Es inevitable preguntarse cómo gente tan temible pudo ser desbandada por un simple oficial de policía, por muy duro que éste fuese. En 1925, Benito Mussolini quiso acabar con la *Mafia* y para ello envió a Sicilia a Cesare Mori, que pasaría a la historia como *el Prefecto de Hierro* y al cine personificado por Giuliano Gemma. En cuatro años Mori arresto y procesó a más de dos mil *mafiosi*, incluido Don Vito Cascio Ferro, el jefe máximo, *il capo di tutti li capi*.

Más férreo que Ferro era Mori, pero, aunque le dio una paliza a la *Mafia*, no pudo ponerla fuera de combate: entró en conflicto con capitostes fascistas aliados a ella y en 1929 el *Duce* lo relevó de su cargo. Para que nadie se equivocara, le demostró públicamente su aprecio nombrándolo senador.

Aquí, en los Estados Unidos, ¿Cuántas décadas ha tomado desarticular el crimen organizado? Ha pasado mucho agua bajo los puentes de Chicago desde que el agente Eliot Ness lograra procesar a Al Capone por evasión de impuestos. *Lucky* Luciano fue deportado; luego, Vito Genovese. Meyer Lansky anduvo de La Ceca a La Meca buscando donde meterse hasta que murió. El senador Estes Kefauver y luego el fiscal Rudolph Giuliani les pegaron duro. Duros decían ser sus jefes y seguramente lo eran, pero corrieron como simples mortales asustados ante una fuerza superior cuando la policía rodeo la casa de Apalatchin, New York, en la que celebraban una reunión. El grito de «*The cops are coming!*» provocó la desbandada y fue como un canto de cisne.

Ya apenas se oye hablar de *Mafia* y *Cosa Nostra*, pero lograr ese silencio tomó medio siglo. Capone, Maranzano, Luciano, Genovese, Carbo, Giancana, Gallo, Giambino: hace años, ¿quién no conocía esos nombres? Hoy, solamente ciertos policías y periodistas especializados en el tema conocen nombres de *capi*, de «jefes de familias». En cuanto a la joven «*mafia rusa*», surgida de la desintegración del imperio soviético, todavía no ha producido un nombre famoso. En cambio, fama no les ha faltado a los jefes de los *cartels* colombianos de la droga, los delincuentes más ricos de la historia, así como a sus congéneres mexicanos. Unos han muerto, otros han sido encarcelados, aunque esas muertes y encarcelamientos le han costado la vida a miles de policías y soldados.

Pablo Escobar mató más personas en uno solo de sus sangrientos días que todos nuestros míticos *gangsters* en los años que duró lo que a los cubanos les parecía «terrible violencia *gangsteril*». Sus millones y los recursos que con ellos compraba lo salvaron durante un tiempo de la muerte, que sólo ocurrió tras una prolongada y sumamente costosa cacería.

¿Por qué pudo el oficial Martín Pérez liquidar el *gansterismo* cubano con tanta facilidad y rapidez? ¿Por qué triunfo en lo que

Cesare Mori fracasó, en lo que al *FBI* le llevó décadas lograr? Porque lo de Cuba no era *gangsterismo*. Fue sólo un mito más en un país plagado de mitos, la mayoría de ellos absurdos. Quizás éste fuera el más absurdo de todos y, junto con los de la corrupción y la miseria, uno de los más dañinos. Ha tenido, además, una mayor persistencia. Muchos cubanos comprendieron, aunque demasiado tarde, que Cuba no era un país particularmente corrupto y que la miseria era escasa. Sin embargo, conozco muy pocos que no crean en el mito *gangsteril*. Acabar con los falsos *gangsters* fue fácil; no así con la extendida creencia de que *gangsters* fueron Tro, Salabarría, *el Colorado*, Masferrer. Sobre todo Masferrer.

Cuando la revolución por fin llegó, muy pocos de aquellos que añoraban los tiempos revolucionarios participaron en ella. La mayoría estaban muertos y los sobrevivientes no respetaban a quien la encabezaba, que debió reclutar a matones desconocidos cuando no inéditos, como Ramiro Valdés, Efigenio Ameijeiras, René Rodríguez, Raúl Menéndez Tomassevich, Dermidio Escalona y otros de igual o parecida calaña.

Ninguno de los que habían sido compañeros de Fidel Castro en la UIR se sumó a la nueva y esperada revolución que éste encabezaba. «Los Muchachos del Gatillo Alegre», siguieron las huellas de Masferrer y se exiliaron en masa, como lo habían hecho en tiempos de sus perseguidores Batista y Martín Pérez.

Los que cometieron el error de permanecer al alcance de aquel pistolero de poca monta convertido en héroe por la locura colectiva de los cubanos lo pagaron muy caro: Eufemio Fernández fue fusilado y Mario Salabarría, cumplida su larga condena por lo de Orfila, fue enviado de nuevo a la cárcel.

En cambio, José de Jesús Jinjaume, que siempre tuvo fama de arrebatado, se comportó con excepcional prudencia en medio del frenesí. Aquello tenía olor a peligro, por lo que decidió recluirse en su casa. Pasaban los meses y el delirio no cedía cuando llegó a La Habana un famoso ajedrecista soviético (¿Smyslov, Tal, Petrosián? Alguien así) y se organizó una simultanea con él. Jinjaume, aficionado al ajedrez, que mataba el tiempo de su encierro estudiando las partidas de Capablanca, no pudo resistir la tentación y se inscribió para participar. Sentado ante la larga mesa en la que se alineaban los tableros, intentaba descifrar el juego del maestro que venía del frío cuando un tumulto interrumpió su análisis.

Allí estaban, cara a cara, los dos viejos muchachos de la UIR, el afamado, de nombre beatífico y extraño apellido, y el otro, al que en el mundo del «Gatillo Alegre» llamaban Fidel porque «Castro» era Manolo.

– ¿Todavía estás aquí? Yo pensé que te habías ido– dijo Fidel Castro.

En su voz no había amenaza ni agresividad, pero el pistolero ajedrecista pareció intuir que si en nuestro camino aparece un monstruo, no queda sino matarlo o buscar salvación en la lejanía. Como la primera y mejor solución no estaba a su alcance, rindió su rey, se encaminó a una embajada y pidió asilo. A diferencia de Eufemio Fernández, Pepe de Jesús viviría muchos años.

DE *GANGSTERS* Y HEROES

A diferencia de los otros, los matones de nuevo cuño siempre tuvieron buena prensa, incluso antes de llegar al poder. Dos de ellos, surgidos de la clase media habanera, Raúl Díaz Argüelles y Gustavo Machín Hoed de Beche pasaron una noche ante la sede del Departamento de Tránsito de la policía y ametrallaron a los que estaban a su alcance, dejando atrás seis muertos, uno más que en la historiada balacera de Orfila. Dedicados a regular el tráfico vehicular, los difuntos agentes nada tenían que ver con la represión. Díaz Argüelles, que llegó a general y murió en Angola, y Machín, muerto en Bolivia cuando formaba parte de la vapuleada guerrilla del Che Guevara, son considerados «Mártires de la Revolución y del Internacionalismo». Consideraciones aparte, eran un par de asesinos.

No creo que haya una diferencia fundamental entre «los Muchachos del Gatillo Alegre» y «los Barbudos de la Sierra Maestra», y si la hubiera, sería a favor de los primeros. Sin embargo, a unos se les llamó y aún se les llama «*gangsters*», mientras que a los otros se les proclamó «héroes guerrilleros».

En cuanto a experiencia guerrera, Rolando Masferrer y Emilio Tro, ellos dos solos, vieron más acción de guerra que todos los heroicos guerrilleros de Fidel Castro juntos. Las escaramuzas contra una tropa llevada a la desmoralización por sus propios jefes, ¿pueden acaso compararse con el desembarco aliado en Normandía o la batalla del Ebro?

¿Qué veta de locura llevó a una gran mayoría de cubanos a convertir en objetos de adoración a aquellos hombres, algunos de ellos de aspecto francamente patibulario? El asesinato de Rolando Masferrer está casi totalmente olvidado mientras que muchos enemigos de la tiranía castrista aún se preguntan, adoloridos, el cómo y el por qué de la muerte de Camilo Cienfuegos, ese mequetrefe vividor.

La adoración que generó esa gentuza, como todos los actos de irracionalidad colectiva, es de difícil explicación. Los motivos para tachar de *gangsters* a los «Muchachos del Gatillo Alegre» son, en cambio, mucho más diáfanos: el más renombrado entre ellos derrotó al Partido Comunista en una polémica pública y obligó a huir a Fidel Castro por las calles de La Habana

FIDEL Y ROLANDO

El hecho de mayor importancia generado por los grupos de acción fue el odio entre Rolando Masferrer y Fidel Castro, sin duda las dos personalidades mayores de su generación. Su origen estuvo en un intento de asesinato o, para decirlo en lenguaje jurídico (después de todo, los dos eran abogados), en un homicidio imperfecto. El día de autos, uno del mes de julio de 1947, en lo que se llama «la parte alta de El Vedado», cerca de la esquina de 23 y 12, iban Fidel Castro y otro miembro de la UIR (y de la FEU; era Vicepresidente de la escuela de Veterinaria), Armando Galí Menéndez, cuando vieron a Masferrer, que vivía por ese rumbo, caminando hacia su casa. Fidel se dejó llevar por su inclinación a improvisar y cometió un error que le costaría muy caro.

–Ahí va *el Cojo* –le dijo a Galí– Vamos a tirarle.

Dispararon. Fallaron. El fallo provocó la demostración de una verdad muy desagradable para quien ha tratado siempre de trasmitir una imagen de valentía: Fidel Castro no era hombre para enfrentarse a Rolando Masferrer. El atacado se volvió, sacó su arma y cargó contra los atacantes. Su primer disparo alcanzó en una pierna a Galí Menéndez. Al otro no pudo alcanzarlo ni siquiera con una bala, que las veces que Fidel ha decidido correr siempre se ha tomada el asunto muy en serio. Además, si bien es cierto lo que afirma un refrán de que es más fácil atrapar a un mentiroso que a un cojo, es muy difícil que un cojo alcance a un mentiroso joven, de piernas largas y acicateado por el miedo.

La población del mundo no se divide en valientes y cobardes. Ningún cobarde ataca a un hombre reconocidamente peligroso como Rolando Masferrer, ni siquiera por la espalda y a distancia. Por otra parte, ningún valiente huye estando armado y con ventaja numérica. Fidel Castro huyó, en la que sería la más controversial huída de su vida. Y la más nefasta: el huir de la posta del cuartel Moncada por donde habían entrado sus seguidores probablemente le salvó la vida;

la espectacular «espantada» en Alegría de Pío, un segundo abandono de hombres bajo su mando, también. En ambas situaciones estaba en desventaja, lo que merma en algo la indignidad; se puede hablar de cobardía, pero también de cálculo. En cambio, ante Rolando no existía desventaja alguna. Fue una pura reacción de miedo; un miedo incontrolable; un miedo que lo atormentaría durante muchos años.

Existen varias versiones de la huída. En la de mayor credibilidad, Fidel, cuya capacidad de desplazamiento era muy superior a la de su perseguidor, lo deja atrás, se pierde de vista y se refugia en casa de su hermana Lidia, que, como Rolando, vivía por los alrededores. En otra, sus siempre flacas pero entonces veloces piernas lo llevan hasta el también cercano cementerio de Colón, donde encuentra una tumba abierta, preparada para un entierro el día siguiente. Allí se esconde a esperar tiempos mejores.

En definitiva, ambas versiones y otras que pudieran existir son anecdóticas. Lo cierto es que Fidel Castro trató de matar a Rolando Masferrer y que luego huyó ante él. Sería el principio de una enemistad que terminaría treinta años después cuando el automóvil de Rolando voló destrozado por una bomba a pocos metros de su casa. Los tiros fallaron; la bomba no. Durante todo ese tiempo, y aún hoy, Rolando ha sido para Fidel Castro el recordatorio vivo de la poca envergadura de su coraje.

Estos dos hombres habían nacido con sólo ocho años de diferencia, en la misma región de la misma provincia, que entonces se llamaba Oriente. Cuando uno de ellos se apoderó del país dividió en cinco partes la provincia oriental. No obstante, la finca Birán, en el municipio de Mayarí, quedó como parte de la nueva provincia de Holguín, que lleva el nombre de su ciudad principal. Entre una y otra locación no hay más de cuarenta kilómetros en línea recta

El ser coterráneos, comprovincianos, miembros de la misma generación no generó el más mínimo acercamiento entre ellos. Rolando ya estaba graduado cuando Fidel ingresó en la Universidad. Políticamente hablando, uno comenzó donde el otro terminaría: el Partido Comunista. Cuando Rolando aún era lector y seguidor de Marx (si es que alguna vez fue seguidor de alguien), Fidel tenía como libro de cabecera *Mi lucha,* de Adolf Hitler. Veterano de guerra, Rolando jamás se interesó en grado militar alguno, mientras que el otro parecería que no puede vivir sin su uniforme y su título de comandante. Eso si, resulta evidente que siempre se rechazaron. A Fidel, el Envidioso en Jefe, han de haberle hecho sufrir el éxito académico y la experiencia guerrera del otro. Han de haberlo molestado en mayor medida que las hazañas deportivas y la apostura física de Julio Antonio Mella, a quien seguramente también envidió, que Fidel Castro es capaz de envidiar hasta a un muerto.

Fidel nunca ganó una elección. Por una u otra razón, sus aspiraciones al liderato nunca tuvieron el respaldo de los estudiantes de entonces, que no parecieron notar su carisma. Su viejo amigo (llamémoslo así) de aquellos tiempos, el lánguido Alfredo Guevara, fue capaz de vencer, con todo y su languidez, en las elecciones para presidir la Facultad de Filosofía y Letras. El bronco Fidel no logró nunca nada parecido en la de Derecho.

En los años finales de la década de los 40', Fidel Castro buscaba afanosamente las cámaras y los micrófonos, y participaba en eventos más o menos grotescos, como el traer desde las lejanas ruinas del ingenio La Demajagua la campana con la que Carlos Manuel de Céspedes convocó a luchar por la independencia, lo cual lograría luego de arduas negociaciones con los viejos *mambises* de Manzanillo encargados de su custodia. La campana, instalada como objeto de adoración en el Aula Magna de la Universidad de La Habana, fue sustraída con nocturnidad y alevosía por Eufemio Fernández en un robo simulado, y entregada varios días después en el Palacio Presidencial por el general *mambí* Enrique Loynaz del Castillo, estropeando el carnaval mediático montado por el joven Castro en torno a la reliquia.

Mientras Fidel payaseaba, Rolando Masferrer solidificaba su fama periodística con sus artículos en *Tiempo en Cuba.* En una de las tantas paradojas que llenan su vida, el supuesto *gangster* fue uno de los factores que contribuyeron a expulsar de Cuba a un *gangster* real, el de mayor renombre y poder en aquel entonces. Hablo de Salvatore

Lucania, alias *Lucky* Luciano, refugiado en la Isla desde que fue liberado de la cárcel de Sing-Sing como premio a su cooperación en la toma de Sicilia por las fuerzas del general Patton a través de sus contactos con la *Mafia*. Rolando hizo campaña por su expulsión de Cuba y no paró hasta verlo de vuelta en Italia.

Masferrer, a quien nunca le interesó la política estudiantil, entró en la política nacional en 1948, cuando ganó un escaño en la Cámara de Representantes por la Provincia de Oriente. Se postuló por el Partido Republicano, aliado del gobernante Partido Auténtico, cuyo nombre oficial, Partido Revolucionario Cubano, era una especie de plagio del fundado por Martí en el siglo anterior. En sus pasquines para esa elección, cruzando en diagonal el pecho del joven candidato, se leía una convocatoria: «¡Revolucionarios!»Como separar tantos cubanos, Rolando Masferrer amaba esa palabra para mi abominable.

Joven estrella del periodismo y la política, un mundo de éxitos parecía abrirse ante el holguinero. Sólo que ese mundo estaba cerca de derrumbarse, aunque nadie pudo prever su derrumbamiento.

Ahora todos o casi todos, al menos en el exilio, amamos ese mundo ya desaparecido. Pero cuando existía, cuando vivíamos en él, no nos parecía tan maravilloso. No creo que haya habido jamás una nación con una opinión tan injusta y negativa acerca de su propio país, tan ciega a sus logros y ventajas, tan propensa a creer en la exageración de sus males y limitaciones. El antiguo desprecio ha devenido en incondicional amor. Demasiado tarde.

GRAU

Fue durante la segunda Presidencia de Ramón Grau San Martín que se inició el absurdo proceso de autodestrucción que culminaría con la toma de la República por alguien que no había podido siquiera apoderarse de la FEU o de la jefatura de la UIR. Grau, que en las elecciones de 1944 había barrido al candidato apoyado por Batista y por sus aliados de entonces, los comunistas, no resultó el hombre que los cubanos pensaban que era.

Debo señalar que Ramón Grau nunca dijo ser lo que sus compatriotas imaginaron. El malentendido comenzó en septiembre de 1933, cuando un grupo de estudiantes apoyado por unos sargentos que se habían apoderado de Columbia, la principal base militar del país, lo nombró Presidente. ¿Por qué? Porque el prestigioso médico, que era igualmente prestigioso como profesor de la Universidad de La Habana, era respetado por sus alumnos y no había participado en el carnaval de adulación con que muchos de su ámbito festejaron al primero autoritario y luego despótico Presidente Machado. Eso era todo; suficiente para el grupo de estudiantes convertido en Grandes Electores de la República. ¿Y los sargentos? Esos apoyaban todo lo que los estudiantes dijeran o hicieran, siempre que no los perjudicara.

Grau nombró Ministro de Gobernación a Antonio Guiteras y formó con él una especie de Dúo Dinámico del Nacionalismo que devino en un nuevo mito. Cuando Guiteras murió, menos de dos años después, Grau quedó como único heredero. ¿De qué? De lo que fuera. En todo caso, se trataba de un importante capital político, pues a los cubanos, a la mayoría de ellos, se les metió en la cabeza que Grau era un gran hombre.

No lo era. Tampoco un monstruo de maldad ni nada por el estilo. Era cínico y despreciativo, robos que no cometió permitió que otros los cometieran, y su ausencia total de decoro podía llevarlo lo mismo a convivir maritalmente con su cuñada viuda, a la que nombraría Primera Dama, que a manosearle las nalgas a una funcionaria durante una ceremonia en el Salón de los Espejos del Palacio Presidencial ... sin haber sido autorizado para ello. Era una especie de Bill Clinton criollo, sin la apostura del americano, pero con similar desfachatez.

Grau no respetaría la memoria de su hermano muerto ni el derecho de Renée Méndez-Capote a decidir quien podía o no tocar lo que sin duda era suyo, pero sí respetó la democracia en todas sus facetas, de manera irrestricta. No se mostró sumiso ante los poderosos americanos y a veces hizo alarde de ello, como cuando ordenó a Ernesto Dihigo, Embajador ante la ONU, votar contra la creación del Estado de Israel, promovida por Estados Unidos.

Sin embargo, lo mucho que se esperaba de él creó un sentimiento de frustración que culminó en la división del partido que encabezaba, con el que había ganado las elecciones. El hábil político *Millo* Ochoa, uno de los que más contribuyó a su elección, fundó el partido que todos llamarían Ortodoxo, así como Auténtico era aquel del que provenía. Poco después se le unió Eduardo Chibás y en apenas un lustro el candidato de la nueva organización estuvo en condiciones de aspirar con posibilidades a la Presidencia.

Cosa curiosa, los dos políticos holguineros de mayor renombre después de *Millo*, Luis Baire Llópiz y Rolando Masferrer, aunque no se llevaban nada bien, estuvieron de acuerdo en no sumarse al Partido Ortodoxo fundado por su coterráneo. Otra curiosidad: casi todos los partidarios iniciales de Fidel Castro provenían de ese partido.

CHIBÁS

B ajo la dirección de Chibás, reforzado con un ídolo surgido de la radio, el comentarista José Pardo Llada, y con el apoyo casi incondicional de la revista *Bohemia* (digo «casi» porque su dueño y director, Miguel Angel Quevedo, sólo era incondicional de sí mismo), se desarrolló una campaña de violentos ataques contra los gobiernos de Grau y de su sucesor Carlos Prío, ataques que presentaban a la República de Cuba minada por la corrupción, la violencia, la miseria y la sumisión al extranjero, condiciones que, de haber sido ciertas, justificarían la revolución de Fidel Castro. No lo eran, pero sirvieron para justificarla.

Como a tantas otras cosas, Grau hizo oídos sordos a aquella ola de denuestos. Prío trato de frenarla con un decreto que establecía lo que se dio en llamar el Derecho de Réplica; por dicho decreto, si alguien se consideraba calumniado o injustamente atacado en un programa radial, tenía derecho a utilizar una parte del tiempo pagado por el que lo atacaba para replicar el ataque. La oposición lo llamó «el Decreto Mordaza» y el nombre caló en la calle. Fue un fracaso: en aquella república tan vilipendiada, la libertad de expresión era tal que los atacados consideraron que no les convenía ser vistos como enemigos de ella.

Solo uno la utilizó. Dando muestras de lo poco que le importaba la opinión ajena cuando la consideraba absurda, Rolando Masferrer hizo uso del derecho de replica en el programa dominical cuyo espacio era pagado por Eddy Chibás, cuando éste contó, como si fuera cierto, el cuento del hombre a quien Masferrer iba a enterrar vivo.

Ese mítico suceso (en el verdadero sentido de la palabra: la mentira o la distorsión de la verdad son el elemento definidor de todo mito) se sitúa en una playa al este de La Habana. Allí, a un enemigo de Masferrer cuyo nombre nunca se ha llegado a saber se le obligó a cavar un agujero en el que se le enterraría vivo. En otras versiones, la tumba ya estaba lista y al futuro muerto simplemente se le colocó en ella decúbito supino, o sea, boca arriba, como mandan los cánones fúnebres. Ya casi lo cubría la madre tierra o la tía arena cuando la macabra ceremonia fue suspendida. Mi conclusión: nunca ocurrió tal enterramiento.

¿Y si todo hubiese sido un acto de intimidación, si no hubiera habido intención de llevarlo hasta sus últimas consecuencias, como quien dice hasta las últimas paletadas de tierra? Es posible, pero poco probable, porque el nombre de quien iba a ser enterrado nunca se supo.

No obstante, aún siendo un mito, uno más, la historia del enterramiento ilustra algo fundamental en la vida de Rolando Masferrer. Como Fidel Castro, Rolando se inventó un personaje y trató de representarlo, de parecerse a él. La puesta en escena de Fidel tuvo éxito porque su talento para la farsa era superior y muy grande el parecido con el personaje representado. El holguinero quiso aparentar lo que no podía ser dada su condición espiritual. Una cosa es tratar de parecer un asesino y otra muy distinta es serlo. Para ser como Al Capone no basta con pedir un minuto de silencio por su muerte y escandalizar con ello a los que fácilmente se escandalizan; hay que estar dispuesto a matar a batazos a un cristiano.

Sin embargo, no es lo mismo autocalificarse de asesino por pura diversión, como en la anécdota con Álvarez Guedes, a que otro, un enemigo, te califique de tal. La historia del enterramiento fue difundida por Chibás en su programa dominical, lo que provocó el estreno del derecho de réplica instituido por Prío.

Lo que me resulta extraño es que un hombre tan indiferente a eso que algunos llaman «el qué dirán» y otros «la opinión pública» se empeñase en usar el tiempo radial pagado por Chibás para defenderse de una acusación a la que nadie había aportado pruebas. Creo que lo hizo, ante todo, para mortificar a su adversario.

¡Y vaya si lo mortificó! Aquello terminó en rabieta y escándalo, con Chibás aporreando la puerta del estudio desde donde hablaba Masferrer e invitándolo a salir a pelear. Fue algo bastante ridículo (lo de Chibás, no lo de Masferrer), pero muchos cubanos parecían estar fascinados con aquellas ridiculeces.

Paradójicamente, el hombre que más contribuyó a crear un clima de menosprecio hacia la República pudo haberla salvado de la debacle. Me resulta imposible imaginar a Eduardo Chibás tranquilo en su apartamento en lo alto del rascacielos *art deco* donde vivía mientras un grupo de militares se apoderaba del poder a menos de tres meses de las elecciones en las que, con toda seguridad, le hubiesen elegido Presidente.

Pero en el verano anterior al del golpe Chibás cometió el error de su vida, que sería el de su muerte. Para cualquiera podía ser digamos exagerado calificar de totalmente corrupto a un gobierno en el que tantos de sus ministros padecían de una falta evidente de dinero, muestra inequívoca de su honradez. Tal era el caso de Carlos Hevia, Luis Casero, Tony Varona, Oscar Gans, Segundo Curti y Aureliano Sánchez Arango, por sólo citar a los de mayor nombradía. No se trataba de que hubiera hombres honrados en el gobierno, sino de que eran demasiados. Chibás, al parecer engañado por alguien que lo conocía bien, denunció como ladrón al Ministro de Educación Sánchez Arango, uno de los más peligrosos si de chocar con él se trataba, y anunció que presentaría pruebas de tales robos al erario público y de su inversión en diversas empresas en Guatemala. No pudo presentarlas porque no las había. Y no las había porque Aureliano no había robado nada.

Enfrentado a una situación de posible descrédito a escasos diez meses de las elecciones, Eduardo Chibás tomó una decisión propia de las características que definían su personalidad: hombre valiente, arrebatado y con una fuerte vocación de poder, leyó una dramática arenga al finalizar su programa radial y acto seguido se disparó un balazo en el vientre en el estudio desde donde trasmitía. No fue un suicidio; fue una maniobra. Una maniobra extraordinariamente arriesgada que demostraba desprecio no tanto por la vida como por el dolor físico.

Eddy Chibás estaba tan obsesionado por el poder como Fidel Castro, pero de él lo diferenciaban el coraje y la ausencia de envidia. El coraje le permitió ejecutar tan arriesgada y dolorosa maniobra. ¿Y qué hay con que no fuera envidioso? Pues que, mientras Fidel Castro se ha rodeado siempre de mediocridades, el Partido Ortodoxo, que era el de Chibás aunque él no lo fundara, se había convertido en un receptáculo para hombres de talento. De todo tipo de talento, no solamente el que se refiere a la política; también había verdaderas estrellas de la Medicina, como el cirujano que lo operó, Antonio Rodríguez Díaz, y el clínico que lo atendió en el período post-operatorio, Pedro Iglesias Betancourt. El contaba con eso. Contaba con sobrevivir y que su dramático gesto borrara las consecuencias de haber calumniado a Sánchez Arango. En realidad, todo parecía indicar que sobreviviría, y el pueblo, en efecto, ya daba muestras claras y vocingleras de haber perdonado el desliz. Pero sobrevino una inesperada infección y el «adalid», como muchos gustaban llamarlo, murió.

«El Adalid del Decoro»: así le llamaban a Chibás. La frase, creada por su seguidor Luis Conte Agüero, caló hondo en la mente de la mayoría de los cubanos. Su impoluta honestidad era un mito aceptado por todos, hasta por sus enemigos. Sin embargo, la mentira y la honestidad son incompatibles, y Chibás mentía quizás más que ningún otro político de esa época al presentar a Cuba como un desastre de país. Mintió al acusar a Aureliano de ladrón y no se retracto de haberlo hecho. No obstante, aún se le considera un modelo de honestidad. Pocas cosas hay tan fuertes como un mito consolidado.

«Vio los cielos abiertos» es una frase muy común en Cuba para definir la aparición de una gran oportunidad. Los cielos se abrieron para Fulgencio Batista el 14 de agosto de 1951 al morir Chibás. Unos meses después, el 10 de marzo de 1952, todo cambió. Para Rolando, para Fidel. Para todos. El golpe de Estado que derrocó a Prío cuando faltaban 82 días para las elecciones fue como una convocatoria a Satanás y a sus servidores los demonios. El Mal se hizo presente en todas sus manifestaciones y el que mejor lo representaría inició su camino al poder, pues lo que se había abierto en realidad no eran los cielos, sino el infierno.

El 4 de septiembre de 1933, las demandas de mejoras por parte de un grupo de sargentos se vieron convertidas en algo vagamente parecido a un golpe de Estado al intervenir factores políticos, cuando otro grupo, éste de estudiantes, terció en el proceso provocando la caída del gobierno provisional. Aquella extravagancia, ¿fue realmente un golpe de Estado? En todo caso, ningún parecido tuvo con los más de cien golpes y pronunciamientos militares que han plagado la historia de los países de habla española. Lo que ocurrió el 10 de marzo de 1952 fue el primero que tuvo lugar en Cuba.

El principal beneficiario de la democracia cubana, el pueblo que vivía a su sombra, exhibió una apatía, una indiferencia que no presagiaban nada bueno. El presagio se cumplió: nada bueno ha ocurrido desde entonces.

¿Qué sucedió con los cubanos? Pues que habían sido convencidos de que en Cuba todo era corrupción, violencia y miseria. Pocos años después, en enero de 1959, cuando la más completa corrupción y la más implacable violencia se adueñaron del país, que comenzó su caída hacia una total miseria, ya era demasiado tarde para rectificar. El constante vilipendio de la democracia suele abrirle camino a la tiranía.

A mi modo de ver, hubo tres culpables mayores en el proceso de desprestigio de la República: Eduardo Chibás, Miguel Angel Quevedo y José Pardo Llada. Fueron los principales porque, cada uno a su manera, tenía talento para la comunicación, para el convencimiento. No fueron sólo ellos los que convencieron al pueblo cubano de que nuestra democracia no merecía ser defendida, pero su papel en ese proceso fue fundamental.

Eduardo Chibás, llamado por casi todos Eddy, era el típico líder supuestamente carismático y sin duda demagógico capaz de convencer con palabras y actitudes. Murió víctima de su propia demagogia, de su desprecio por la verdad y de la mala suerte. De haber estado vivo, creo que el golpe del 10 de marzo no hubiera llegado a ser ni siquiera una intentona fallida, pues no puedo concebir a Batista y los suyos arrebatándole a Chibás una victoria electoral y una presidencia que tenía al alcance de la mano, ni a éste permitiendo que se las arrebataran.

QUEVEDO, EL DE BOHEMIA

Miguel Angel Quevedo era un maestro de la gerencia periodística. Convirtió a la revista *Bohemia* en la de mayor tiraje del mundo de habla hispana utilizando una sabia aunque perversa mezcla de calidad y deshonestidad. El equipo de articulistas era extraordinario por su nivel intelectual, variedad y prestigio: Emma Pérez, Jorge Mañach, Francisco Ichaso, Agustín Tamargo y Herminio Portell Vilá satisfacían los más variados gustos, mientras que Eladio Secades se encargaba del humor y los deportes, René Jordán de la crítica cinematográfica y Germinal Barral, *Don Galaor*, alimentaba el gusto frívolo por las historias faranduleras; Miguel Angel Martín, el de la curiosidades, José Quílez Vicente el de los crímenes violentos, y el dibujante Prohias completaban el poderoso equipo. Pero junto a ellos estaba la venenosa sección «En Cuba», redactada por los hermanos Enrique y Antonio de la Osa. Eran dos revistas en una, la segunda de ellas nefasta.

Quevedo serviría luego a la causa destructora nacida al año siguiente del golpe, la cual lo despojaría de su imperio mediático. Se suicidó en el exilio, terminando así una vida dedicada a la falsedad. Hasta su carta de despedida, redactada en realidad por Ernesto Montaner, resultó falsa.

Se me hace imposible escribir sobre Quevedo, *Bohemia* y los hermanos De la Osa sin referirme a su obra maestra en materia de desinformación, en la que se mostraron dignos discípulos de Joseph Goebbels.

Según se dijo entonces, la primera víctima de la segunda era de Batista fue un joven cuyo nombre y apellido eran iguales a los del hijo mayor del dictador: el estudiante Rubén Batista, que se llamaba así, pero que no era estudiante, sino un transeúnte que estaba donde su mala suerte quiso que estuviera cuando algún policía estúpido o solapadamente criminal disparó su arma.

Otro fue, en realidad, el primer muerto. El 26 de julio de 1953, temprano en la mañana, un automóvil se detuvo ante la entrada principal del cuartel Moncada, en Santiago de Cuba. Del auto bajaron varios jóvenes vestidos con uniformes del ejército. Uno de ellos, Gustavo Arcos, le disparó al soldado que estaba de guardia y lo mató. Luego entró en el recinto del cuartel seguido por casi todos sus compañeros. Menos por uno: Fidel Castro, con la prudencia que siempre lo caracterizó y que tantos se empeñan en negarle, permaneció en la entrada del cuartel, en espera del desarrollo de los acontecimientos.

Ese soldado desconocido muerto por Gustavo Arcos fue el primero de una larga lista. Cuando Batista huyó el 1ro de enero de 1959 habían muerto en combate o asesinados entre mil y dos mil militares, rebeldes y civiles, estos últimos ejecutados por ambas partes. Dos mil me parecen muchos para un periodo de cinco años, cinco meses y cinco días. A los hermanos De la Osa les parecieron pocos y a la cifra le agregaron un cero a la derecha, por supuesto, con el beneplácito de Quevedo, que nunca permitió que alguien olvidara que era él quien mandaba y ordenaba en su revista. Así nació el mito de «los 20 000 muertos».

PARDO LLADA

José Pardo Llada ha sido el agitador de mayor efectividad que haya conocido la radio en español. En apenas cinco años pasó del anonimato al pedestal de ídolo, a la sombra de Chibás, con su mismo afán destructivo, pero con un estilo propio y una voz cuya capacidad de convencimiento me resulta imposible de explicar. En las elecciones parciales de 1950 rompió todos los *records* de votación al ser elegido a la Cámara de Representantes.

Cada miembro de la Cámara baja representaba a 35 000 habitantes, o sea, a unos 25 000 votantes. Pardo obtuvo 80 000 votos. Tenía entonces 28 años y se había convertido en el político joven de mayor relieve, superando incluso a Masferrer, elegido dos años antes. Toda aquella popularidad, toda aquella avalancha de votos las logró convenciendo a los cubanos de que Cuba era un desastre.

¿Y Fidel Castro? Cuando Pardo Llada era una estrella creciente él era un evidente fracaso. Sin embargo, se convirtió en el heredero del trabajo destructivo de los tres jinetes apocalípticos. En una demostración de oportunismo según algunos, de falta de discernimiento según otros, entre los que me cuento, Pardo se unió a la guerrilla fidelista en la Sierra Maestra; el siempre taimado Fidel, en vez de utilizar las habilidades comunicatorias de su nuevo recluta para la propaganda en Radio Rebelde, lo destinó a no hacer nada.

Tras la caída de Batista, José Pardo Llada se dedicó a la apología del nuevo régimen con un fervor similar al de Quevedo, y, como éste, terminó marchándose al exilio. Pero no se suicidó. Reconstruyó su carrera periodística y política en Colombia, el único político cubano que ha podido hacerlo, aunque, por su condición de extranjero, no pudo ni soñar con ser lo que seguramente hubiese sido en Cuba; de diputado y embajador no pudo pasar.

También es el único de nuestros falsos ídolos que fue expulsado de su pedestal; Grau se bajo del suyo él solito. De los otros dos grandes destructores, Chibás murió en olor de idolatría, aunque su mito está muy diluido a causa de viejos agravios que Fidel Castro no parece dispuesto a olvidar. En cuanto a Quevedo, nunca fue un ídolo ni buscó serlo; ejerció su poder sin prodigar su imagen. Pero Pardo, como tantos otros, fue borrado de la programada memoria de los cubanos de la Isla, mientras que los del exilio, cuando lo recuerdan, es para detestarlo.

Hombre extraño. Como si lo anterior no bastara, esta estrella que pareció fugaz y terminó por no serlo, aunque tuvo que cambiar de galaxia, es el único cubano de fama que ha practicado el toreo. Por supuesto, sólo toreó becerros en corridas benéficas y supongo que vaquillas en los tentaderos, pero algo es algo; más de lo que he hecho yo, que también soy amante de la fiesta.

ROLANDO MASFERRER EN EL PAÍS DE LOS MITOS

LA REPÚBLICA DESPRECIABLE

En suma, que nadie defiende lo que desprecia, menos si la defensa implica algún riesgo, y los cubanos, ahora tan añorantes, despreciaban entonces la República democrática que tenían. Había corrupción, aunque me pregunto en qué país de habla hispana se ha daba el caso de que la Presidencia sea discutida por dos binomios de personas tan honestas como Carlos Hevia y Luis Casero, por el gobierno, y Roberto Agramonte y *Millo* Ochoa, por la oposición. Había miseria, aunque el mayor barrio de indigentes de La Habana apenas ocupaba seis manzanas, mientras que en México, Río de Janeiro, Caracas y otras capitales de la región los focos de indigencia llegaban a formar ciudades. Había violencia, aunque el número de delitos violentos era pequeño. ¿Había realmente sumisión al poder de los Estados Unidos? Cuba fue el único país de la región que votó contra la creación de Israel, patrocinada por la gran potencia vecina, y el Poder Legislativo no autorizó el envío de tropas cubanas a la guerra de Corea.

Estos mitos sobre corrupción, miseria, violencia y sumisión a un poder extranjero no eran los únicos que plagaban la psiquis de los cubanos, pero sí los principales, y fueron suficientes para provocar una actitud de casi total indiferencia cuando Fulgencio Batista, un candidato a la Presidencia que sólo podía aspirar a un tercer lugar, dio un golpe de Estado cuando faltaban menos de tres meses para las elecciones.

Un detalle significativo es que ese ex Presidente sin posibilidades de victoria electoral había tenido un desempeño como gobernante superior en mucho a los de otros políticos latinoamericanos que ganaron elecciones después de presidencias desastrosas, como fueron Alan García en Perú y Daniel Ortega en Nicaragua. Si la Republica era una calamidad, ¿cómo es que los cubanos eran tan selectivos? Quizás por que tenían opciones que peruanos y nicaragüenses no tienen hoy. Si la República era corrupta, ¿por qué los cubanos le daban tanta importancia a la honestidad administrativa? Por esa época los argentinos gritaban «¡Ladrón o no ladrón, queremos a Perón!»

En esa misma República supuestamente minada por la corrupción, Antonio Prio, hermano del Presidente en funciones, había sido derrotado en las elecciones para la alcaldía de La Habana por el gris alcalde Nicolás Castellanos, que alcalde había llegado a ser por el suicidio de su predecesor, el honesto y desdichado Manuel Fernández Supervielle. La misma suerte corrió Virgilio Pérez, compadre del Presidente, barrido por Chibás en la elección para cubrir una vacante senatorial. A su vez, Pardo Llada, contando sólo con su programa radial, rompió los *records* de votación para la Cámara de Representantes. Todo eso ocurrió en las elecciones de 1950, las últimas antes del golpe de Estado.

En fin, que a no ser por la creencia en mitos absurdos, no había motivo para recibir con indiferencia la destrucción del orden constitucional.

Pocas excepciones hubo. Dos de ellas pudieron haber sido muy importantes: una fue la del coronel Eduardo Martín Helena, jefe del regimiento de la cercana Matanzas; Martín Helena era uno de los oficiales de mayor prestigio y Matanzas, rodeada por un anfiteatro de colinas y accesible a través de dos grandes puentes, una ciudad fácilmente defendible. Otra excepción fue el Representante por la provincia de Oriente Rolando Masferrer. La tercera fueron un grupo de estudiantes de la Universidad de La Habana.

El pequeño grupo estudiantil, sin ningún acuerdo previo, fue llegando a la Colina Universitaria. Querían hace algo, pero no sabían qué, cuando se presentó Masferrer en compañía de su antiguo jefe en la guerra de España, Valentín González, *el Campesino*. La presencia de dos hombres con experiencia bélica les dio nuevos ánimos a los desconcertados jóvenes. Uno de ellos era aquel que presidiera la Asociación de Estudiantes del Instituto de Segunda Enseñanza de Camagüey, el que insultara a Másferrer años atrás. Wilfredo Ventura estudiaba Medicina y fue quizás el más entusiasmado con la presencia del congresista. Cuando Rolando propuso enseñarles a confeccionar cocteles Molotov, fue Ventura el encargado de buscar la gasolina.

Aprendieron a preparar aquella arma no por rudimentaria menos efectiva, pero de nada les sirvió. Aprendieron también, más bien comprendieron, que estaban cercados no por las tropas golpistas, sino por la total indiferencia de la población.

ROLANDO PIERDE EL RUMBO

E sa noche o al día siguiente, estando en su casa, alguien se acercó a Masferrer. Venía de parte del líder del golpe. Batista quería conversar con él. Se reunieron. Conversaron. De la conversación surgió el más terrible error en la vida de Rolando Masferrer: abandonó su actitud de oposición al golpe militar y se sumó a los que lo apoyaban. Para Batista, en cambio, el haberlo convencido para que lo apoyara fue uno de los pocos, poquísimos actos inteligentes en 6 años, 9 meses y 21 días de disparates que culminaron el 1ro. de enero de 1959 con la toma del poder por quien era un don Nadie el 10 de marzo de 1952. Inteligente fue Batista al captar a Masferrer, aunque no le sacó partido alguno a su hábil maniobra.

No era la primera vez que Fulgencio Batista y Rolando Masferrer estaban en el mismo bando. En la anterior Presidencia de Batista, éste contaba con el apoyo incondicional de los comunistas del Partido Socialista Popular, en el que militaba Rolando. Pero en aquella época el holguinero era sólo un estudiante de eso que los habaneros llaman «el interior», que se pagaba los estudios traduciendo los despachos en inglés que llegaban por teletipo a la redacción del periódico *Hoy*. Cuando Rolando fue expulsado del PSP Batista estaba en Daytona Beach, Florida, en el exilio que él mismo se había impuesto, y probablemente no siguió los pormenores del enfrentamiento entre el joven Masferrer y sus antiguos aliados.

«Le haré una oferta que no podrá rechazar», es una de las frases más célebres en la historia del cine. El 11 de marzo de 1952 aún faltaban diecisiete años para que Mario Puzo publicara *El Padrino* y veinte para que Marlon Brando completara la tarea de inmortalizar al personaje. Sin embargo, ese día Batista le hizo a Rolando Masferrer una oferta que éste, por motivos que ignoro, no pudo rechazar. Rolando la acepto y lo que pudo haber sido no fue.

Pudo ser el líder de la oposición al golpe y a la dictadura que lo siguió. Lo tenía todo para serlo: inteligencia, coraje, habilidades de comunicador; Además, era un líder natural, ese tipo de personas que otros siguen sólo por creer que deben seguirlo y sin saber bien por qué. En una decisión que cambiaría su vida, anulándola, echó a un lado lo que era su destino manifiesto y se afilió a lo que siempre fue una causa perdida. Lo peor fue que no parece haber considerado la posibilidad de rectificar, de abandonar un bando condenado a la derrota.

¿Cómo no se le ocurrió decirle adiós al enloquecido Batista, que parecía haber dejado todas sus facultades en su exilio de Daytona Beach, cuando la absurda amnistía concedida a Fidel Castro en mayo de 1955?

Otra oportunidad para abandonar aquella nave destinada al naufragio ocurrió menos de dos años después, en marzo de 1957, cuando, luego del asalto al Palacio Presidencial, alguien asesinó al senador Pelayo Cuervo Navarro, el crimen más absurdo cometido en la era republicana.

Pelayo Cuervo, aunque agresivo y de mal carácter, no era, nunca lo fue, un hombre de violencia. Era enemigo de Batista, pero también de Grau, a quien quiso encausar por malversación. Nada tuvo que ver con el asalto y por ser quien era, una importante personalidad política, su muerte creaba un clima de inseguridad que solo podía beneficiar a la oposición violenta.

Batista debió hacer suya la causa de esclarecer el asesinato, que un gobernante no puede dejar impune un crimen que lo perjudica. La inercia del gobierno lo convirtió en el principal sospechoso, algo con que seguramente contaban los asesinos. Si algún día se llegase a saber que la muerte de Pelayo Cuervo fue ordenada por Fidel Castro y ejecutada, digamos, por René Rodríguez, calificado entonces de «gangstercito» por Haydée Santamaría y acusado de narco 25 años después, si eso se comprobara, sería apenas un asesinato que sumar al expediente criminal de Fidel. Pero nadie lo calificaría de error.

En la reunión que trajo a su bando a Masferrer, Batista parecía haberse hecho de un útil aliado. No fue así. Los únicos posibles gananciosos con el absurdo viraje de Masferrer fueron los estudiantes decididos a resistir, que hubiesen sido masacrados de haber tenido un jefe que los condujera al combate. Quizás ninguno de ellos ha considerado nunca esa posibilidad.

No mucho después, Rafael Díaz-Balart, el más importante partidario joven del nuevo régimen, llevó a su cuñado, esposo de su hermana Mirta, a entrevistarse con Batista. El dictador no ha de haber puesto en la captación de Fidel Castro el mismo empeño que puso en la de Masferrer, cuya importancia era mucho mayor. En todo caso, aquel único encuentro entre los dos hombres más nefastos de nuestra historia no tuvo ningún resultado.

Fidel mostró entonces mayor sagacidad y sentido práctico que Rolando. El futuro caudillo, aunque fracasado hasta entonces en su afán de sobresalir, sabía mejor que nadie en Cuba lo que quería; poco más de un año después se convirtió, al fin, en una figura nacional, cuando unos hombres bajo su mando asaltaron el cuartel Moncada. Fiel a su proverbial prudencia, Fidel no participó en el asalto. Se limitó a conducir a sus hombres hasta donde los esperaban la muerte y la cárcel.

Estando Fidel Castro en la Sierra Maestra, Batista le habló a Rolando, ya senador, sobre la posibilidad de nombrarlo Ministro de Defensa. Desde que decidió aceptar la derrota de su candidato, Carlos Saladrigas, en las elecciones de 1944 y entregar el poder a Grau, esa fue la mejor idea surgida en la mente de Fulgencio Batista. No la aprovechó.

Masferrer hubiese sacado al ejército de su marasmo, enviando a la Sierra Maestra oficiales capaces de combatir y hacer combatir a la tropa. Oficiales así existían; Angel Sánchez Mosquera podrá haber sido el mejor, pero no puede haber sido el único. Cierta vez le escuché decir al coronel Ramón Barquín que Joaquín Casillas era un militar de primera clase; Batista lo tenía al frente de la prisión de Isla de Pinos, quizás porque le temía. Rolando tenía la ventaja de no temerle a nadie; el valor, aunque no sea la mayor de las cualidades, sí está entre las más útiles.

111

Precisamente, el temor era un motivo de fuerza mayor para situar a Rolando al frente de las Fuerzas Armadas: desde la tarde para él aciaga en que trató de matarlo, Fidel Castro le temía a Rolando Masferrer. Cuando dos tropas enemigas se enfrentan y el jefe de una le tiene miedo al de la otra, eso crea una ventaja significativa para los que son mandados por el que inspira temor sobre aquellos cuyo jefe está atemorizado.

La brillante idea se disipó y fue como si nunca hubiese existido. En el fondo, Fulgencio Batista también le temía a Masferrer, a verse desposeído de la Presidencia por quien era muy capaz de darle a él una ración del mismo jarabe que él le diera a Prío. Debo decir que el temor no era en modo alguno infundado. El holguinero sólo era leal a sus amigos, y Batista no era uno de ellos.

Rolando tampoco se mostró conciliador. Fue, quizás, demasiado sincero; el tacto y la mesura no eran sus fuertes.

—Los Tabernilla tendrían que despachar desde la Sierra Maestra —le dijo a Batista

No creo que hubiesen despachado desde ninguna parte. Con toda seguridad hubiese pasado a retiro al viejo Pancho Tabernilla y despojado a sus hijos, *Silito* y *Wency*, de cualquier mando de tropas, y hubiera sido él, Rolando, el que hubiese trasladado la oficina del Estado Mayor a la propia Sierra Maestra. Sabía del miedo que le tenía Fidel Castro y la ventaja que ese miedo significaba.

Nada de eso ocurrió. La calamitosa familia Tabernilla siguió al frente de las fuerzas armadas y el simulacro de guerra se decidió a favor de aquellos que mostraban un poco de voluntad combativa; no mucha, pero suficiente para darles la victoria ante un enemigo dirigido por gente que sólo pensaba en robar y contrabandear.

Sólo que el hombre que personificaba esa actitud, el general Francisco Tabernilla Dolz, fue uno de los pocos, poquísimos oficiales que en septiembre de 1933 respaldaron a los sargentos encabezados por Batista. Era lógico que confiara más en él que en Rolando. Lógico hubiese sido también que éste tomara en cuenta lo que Tabernilla, cuyo apellido materno sonaba a clase alta del siglo XIX y a premio académico, significaba para aquel mulato salido de la más extrema pobreza; pero la Lógica no es una ciencia exacta.

Existe un factor que operaba desde las sombras y que puede haber influido en el ánimo de Batista: los *gangsters*, esos sí verdaderos, que habían iniciado un gigantesco negocio de juego y turismo en alianza con el gobierno, muy poco tiempo después del golpe militar. Meyer Lansky, Santos Trafficante y los otros, se habían convertido en una fuente de ingresos para Batista que iba camino de convertir en insignificante el manejo de los fondos públicos. Si ese sueño italojudío hubiese alcanzado su plenitud, el robo de dichos fondos hubiera llegado a desaparecer. Los magnates, por muy ladrones que sean, no suelen robar gallinas.

Ahora, una pregunta imposible de responder. ¿Cómo veían esos hombres, Lansky y los otros, a Rolando Masferrer, que en la década anterior había contribuido a que se expulsase de Cuba a *Lucky* Luciano? En todo caso, como alguien que, ni remotamente, podía ser tan confiable como Batista. No quisieron arriesgarse con un hombre que seguramente les parecía peligroso, al que no podrían manejar ni intimidar, y terminaron perdiéndolo todo.

Por cierto, entre los personajes americanos ligados al negocio del juego había uno cuyo nombre resultó profético, una especie de premonición de lo que sería el destino de miles de cubanos. Hablo del célebre actor de cine George Raft, *General Manager* del casino del hotel Capri, propiedad de Trafficante. En inglés, «*Raft*» significa «balsa».

LOS TIGRES

¿Para qué quería Batista a Rolando Masferrer? En realidad, no lo quería; sólo le interesaba que no estuviera en el bando contrario. Fue como contratar un jugador que, por sus características, no fuese útil para el equipo, pero al que se le contrata para evitar que lo hagan los contrarios. Mejor tenerlo en el banco sin jugar que jugando en contra. Eso fue lo que hizo George Steinbrenner, dueño de los Yankees de New York, con José Canseco: Lo contrató para evitar que lo hicieran los Red Sox de Boston, una hijeputez que perjudicó al jugador, pero favoreció a los Yankees. Por el contrario, como todo lo que hizo Fulgencio Batista desde el 10 de marzo de 1952, el mantener «en el banco» a Rolando Masferrer a quien terminó por favorecer fue a Fidel Castro.

Por motivos que ignoro, Batista le permitió formar una organización paramilitar. Rolando, lector de los llamados clásicos del marxismo, quizás tomó la idea de *El 18 brumario de Luis Bonaparte*, breve ensayo de Karl Marx donde éste analiza el ascenso al poder de Luís Napoleón Bonaparte, sobrino de Napoleón. Allí se habla de *La Garde Mobile*, la Guardia Móvil, formada por sujetos en modo alguno recomendables.

A su guardia móvil Rolando le puso por nombre Los Tigres. ¿Se identificaba con la más feroz y bella de las fieras, cantada por grandes poetas? ¿O acaso era fanático de los Tigres de Marianao o los Tigres de Detroit? No hay indicios de que fuera aficionado al béisbol; sin embargo, todo es posible tratándose de una persona con tan extravagante sentido del humor. Lo cierto es que su nombre quedó asociado para siempre con el temible animal.

Los Tigres nunca pasaron de ser cincuenta hombres. Como segundo al mando y jefe operativo estaba un señor que cargaba con un extraño nombre: Armentino. Aunque poco aptos para los combates regulares por su falta de disciplina, su número exiguo y su carácter heterogéneo, Los Tigres quizás hubiesen servido algún día como tropa de choque callejero para el derrocamiento de un Presidente que no sólo era espurio, ilegítimo, sino, lo que es mucho peor, inepto, totalmente inepto para enfrentarse a un enemigo al que sólo la ineptitud ajena pudo convertir en dueño del país. En una muestra rezagada de su antigua astucia, Batista dispuso que Los Tigres limitaran sus actividades a Santiago de Cuba, bien lejos del centro del poder. De todos modos, no sirvieron para gran cosa, como no fuese acumular mala fama y trasmitírsela a su jefe. Ese ha sido, por lo general, el destino de los grupos paramilitares.

Es necesario hablar de los crímenes que se les atribuyen, tarea nada fácil. No se trata de reseñar abusos e intimidaciones. Se trata de crímenes. Pero... no puedo dejar de preguntarme por qué, si tantos oficiales de la policía y el ejército alcanzaron notoriedad a partir de sus desmanes, ni uno solo de los Tigres logró algo parecido.

En enero de 1959, en su segunda edición después de la huida de Batista, la benemérita revista *Bohemia* publicó varias páginas de fotos de los represores de mayor nombradía e incluso de algunos no tan renombrados, como Alberto Triana Calvet, ni tan represores, como Hernando Hernández, Joaquín Casillas y el propio Triana. Encabezaba la galería el célebre Esteban Ventura y en ella aparecían Rafael Salas Cañizares y Fermín Cowley, ambos muertos hacía más de un año; allí estaba José Eleuterio Pedraza, en retiro desde principios de los 40', llamado al servicio activo dos meses atrás; Jacinto Menocal era conocido por todos en Pinar del Río, así como Agustín Lavastida en Holguín, pero esos eran los límites de su renombre.

En fin, que estaban todos los que Miguel Angel Quevedo y sus secuaces pudieron o quisieron recordar, un total de 23. Faltaban Cornelio Rojas, cuyo fusilamiento fue una exhibición de sadismo; Rafael Sosa Blanco, reservado para un juicio circense como no se había visto en nuestra historia; Angel Sánchez Mosquera, cuya mención podía ser mortificante para el Che Guevara y otros que huyeron ante él. Como es natural, en esa exposición gráfica de los señalados como peores asesinos del régimen de Batista debió aparecer también Armentino Feria, *el Indio* Feria, segundo jefe de Los Tigres. No apareció. Su nombre vino a ser conocido a fines de 1960, cuando murió poco después de haber desembarcado en la costa sur de Oriente al frente de un grupo armado.

ROLANDO, TEMIDO E INÚTIL

El mítico *gangsterismo* desapareció en un dos por tres. Sin embargo, la exigua, mal armada y peor mandada guerrilla de la Sierra Maestra no pudo ser liquidada. Rolando Masferrer asistió, furioso e impotente, al desmoronamiento de aquel régimen al que en mala hora había decidido apoyar. El, que muy joven supo lo que era una guerra, ¿qué pensaría de aquella llamada «invasión» de un grupo exiguo en número que recorrió cientos de kilómetros de la Sierra Maestra a la del Escambray sin apenas combatir? ¿De la semana que le llevó al «heroico» Camilo Cienfuegos tomar el cuartel de un pequeño pueblo? ¿De la toma de Santa Clara en una parodia de batalla?

Desde las páginas de su periódico Masferrer arremetía no ya contra Fidel Castro y los suyos, sino contra la burocracia izquierdista del Departamento de Estado americano, encabezada por el Subsecretario para Asuntos Latinoamericanos Roy Rubotton, un hombre que parecía tener como meta el derribar a Batista y abrirle el camino al poder a quien sería el enemigo que mayor odio mostraría contra los Estados Unidos. Los más duros epítetos de su abundante vocabulario fueron usados por él para referirse a quienes proponían y lograban un embargo que dejaba corto de armas al ejército y empleaban presiones políticas a las que Batista no estaba preparado para enfrentar. Pero con palabras no se gana un conflicto armado.

Tampoco con buenas ideas, como la concebida por Masferrer de comprar con dinero del Estado la gran hacienda Sevilla y repartir la tierra entre los campesinos para ganar su apoyo. Las buenas ideas solamente ayudan a ganar un conflicto cuando hay voluntad de combatir y de vencer.

¿De qué sirvió la alianza, por llamarla de alguna manera, entre Masferrer y Batista? Al antaño astuto sargento le permitió neutralizar a un hombre peligroso, lo que no es poca cosa, aunque pudo obtener mucho más, quizás la victoria sobre quienes querían derrocarlo y una retirada digna. Aparte de eso, los únicos beneficiarios fueron los viejos amigos de Rolando, Carlos Montenegro y Enma Pérez, la hija de ambos, y mi primo Rafael Rimblas Sera.

Un día de septiembre de 1957, el Movimiento 26 de Julio, luego de un prolongado acecho, mató al coronel Fermín Cowley, jefe del regimiento de Holguín. Batista no había contado con aquel oficial, entonces capitán, cuando planeó el golpe de Estado que lo devolvió al poder. Sin embargo, fue un factor tan decisivo como inesperado para su triunfo cuando se apoderó del cuartel Moncada después de arrestar a quien lo comandaba, el coronel Álvarez Margolles, lo que no se había a atrevido a hacer quien debió hacerlo, el coronel Del Río Chaviano. Batista lloró en el entierro de Cowley. Luego, su furia se manifestó en el envió a Holguín de Irenaldo García Báez, otro coronel tan feroz como el difunto, que montó una implacable cacería de los complotados. Carlos Borja, el hombre que mató a Cowley, y William Gálvez, el que debió haberlo matado, pero se acobardó, escaparon a la seguridad de la Sierra Maestra, que era ya el lugar más seguro para un revolucionario.

Los otros, algunos huyeron hacia La Habana. De los que permanecieron en Holguín sólo uno se salvó. Rafaelito Ramblas estaba donde nadie se le hubiera ocurrido buscarlo: en el apartamento donde se alojaban los hermanos Masferrer cuando venían a su ciudad natal. Pedro Betancourt, el cuñado de *Kiki*, se tomó la atribución de disponer del apartamento. No creo que lo consultara con sus dueños, pero si hizo lo que hizo es porque sabía que podía hacerlo.

En febrero de 1958 tuvo lugar la mayor hazaña del Movimiento 26 de Julio: el secuestró de Juan Manuel Fangio, campeón mundial de automovilismo, que se encontraba en La Habana junto con todas las grandes estrellas de ese deporte para participar en el Gran Premio de Cuba. Fue una operación concebida y ejecutada con suma habilidad que, por la fama del secuestrado, les proporcionó un gran caudal de propaganda a los revolucionarios. Ese era, precisamente, el objetivo; a diferencia del de Eutimio Falla por Guiteras, el otro secuestro famoso de nuestra historia, por Fangio no se pidió rescate alguno, y sus captores lo trataron con suma gentileza.

El secuestro de Fangio tuvo en efecto colateral: el inglés Stirling Moss, principal rival del campeón, se negó a participar por solidaridad con aquel a quien soñaba superar. Como si no fuera suficiente, durante la carrera, celebrada sin los dos principales competidores, un piloto perdió el control de su carro y embistió al público, causando ocho muertos y más de ochenta heridos; el joven Armando García Cifuentes conducía uno de los tres Ferrari que los organizadores de la carrera había adquirido para que participaran competidores cubanos, una idea disparatada, que no cualquiera puede controlar un auto que se desplaza a 200 kilómetros por hora contando solamente con el amor por la velocidad.

Así, entre el secuestro de Fangio y el terrible accidente, el Gran Premio de Cuba terminó siendo el gran desastre deportivo del gobierno.

La revancha contra los participantes en el secuestro llegó para los hombres de Batista en abril, cuando el Movimiento 26 de Julio convocó a una huelga general, apoyada por golpes sorpresivos. Fue un fracaso; en Santiago de Cuba, Rene Ramos Latour, un jefe hábil y bravo, no pudo repetir el éxito logrado por Frank País en 1956, cuando paralizó la ciudad. Factor en el fracaso fueron Los Tigres, que se impusieron en los enfrentamientos callejeros.

La casualidad, que entre los policías y los fugitivos suele favorecer a los primeros, propició la muerte de Marcelo Salado, uno de los organizadores del secuestro de Fangio. Menos de un mes después fueron detenidos Oscar Lucero y una estudiante de Arquitectura llamada Emma Montenegro. Sus padres, el novelista Carlos Montenegro y la ensayista Emma Pérez, otrora amigos de Masferrer, eran ahora opositores al régimen de Batista y la vieja amistad aunque no muerta, estaba en estado de coma. Al caer la joven Emma en manos del coronel Esteban Ventura, los Montenegro echaron a un lado las rencillas y acudieron a Rolando para pedirle que salvase a la hija en peligro. Mongo Miyar, también senador y amigo de los tres, sirvió de intermediario.

Veloz e inesperado como la fiera cantada por Blake y por Borges, Rolando se presentó en la dependencia policial a cargo del temido coronel y pidió que le entregaran a la muchacha para interrogarla; por supuesto que se la entregaron, que nadie le decía «no» a Rolando Masferrer. Puedo imaginar el interrogatorio:

–¿Por qué te metes en estos líos, Emmita? ¡Vas a volver locos a los viejos! ¿Qué te pasó en la cara? Te pegaron, ¿verdad?

–Ventura me puso una pistola delante y me dijo: «Si eres tan brava, atrévete a dispararme».

–Y tú cogiste la pistola, que, como es natural, no tenía balas, le apuntaste a la cabeza y apretaste el gatillo.

–Si

–Dime una cosa:¿De dónde sacaste la idea de que Ventura es imbécil? ¡Mira como te dejó ese cachete!

Lucero no salió vivo del trance. La joven Emma viviría para asistir, entusiasmada, a la caída de Batista, y para repudiar tempranamente a Fidel Castro.

Este episodio me parece muy ilustrativo de la extraña posición que ocupaba Rolando Masferrer en el gobierno de Batista. Era uno de los 54 senadores, uno entre los directores de una docena de periódicos, jefe de un pequeño grupo paramilitar. ¿Algo más? No oficialmente. Entonces, ¿por qué nadie le plantaba cara?

Unos meses antes de la detención de Emma Montenegro los esbirros del coronel Ventura detuvieron a Nicky Silverio, hombre de confianza de Haydée Santamaría. Antes había sido una estrella de la natación, ganador sempiterno en las competencias de velocidad en estilo libre, con una destacada actuación en las Olimpíadas de Helsinski. Era, además, socio del exclusivo Habana Yacht Club.

Ventura, que sabía o intuía su importancia en el 26 de Julio, le preguntó algo que Nicky debía saber y al no recibir una respuesta satisfactoria ordeno administrarle un culatazo en el estómago. Quebrado por el dolor, el detenido habló: las granadas las tenía el basketbolista José Llanusa, otro atleta olímpico metido a revolucionario. Ventura fue en busca de Llanusa. Lo buscó por toda La Habana, pero no pudo encontrarlo. ¿Cómo lo iba a encontrar si hacía un mes que había partido para Miami?

El truco le costó a Nicky un par de palizas. También les dio tiempo a familiares y amigos para mover influencias en su favor. Un oficial de la Marina de Guerra se presentó en la Quinta Estación de Policía, cuartel general de Ventura, y en nombre de Rubén Batista Godínez, hijo de Fulgencio y Elisa, reclamó que el señor Nicasio Silverio fuera puesto en libertad.

Imposible negarse, pero antes de entregar a su presa, Ventura, exasperado, se lanzó en una violenta diatriba contra los que no lo dejaban cumplir su cometido, contra los que tejían la cuerda con que los iban a ahorcar, contra los que apadrinaban a enemigos del General, enemigos peligrosos como este hijoeputa, que terminarán por joder al General, a su hijo, a mi y a usted, y terminó manifestando su más escatológico desdén por los campeones de natación y los socios del Habana Yacht Club. En fin, se desahogó. Se desahogó ante el enviado del hijo del Presidente. Con Rolando no hubo desahogo. A pesar de que al demandar que le entregaran a Emmita Montenegro había dicho que quería interrogarla, lo cual era una burla evidente.

Si Rolando Masferrer hubiese tenido un *rol* protagónico en el gobierno de Batista, él, que tanto amaba la palabra «revolución», nos hubiera salvado de la catástrofe revolucionaria liquidando a Fidel Castro, que enfrentar a quien nos teme siempre termina en victoria. Hubiese bastado que Batista lo nombrara Ministro de Defensa, algo inobjetable hasta del punto de vista militar, pues Rolando había participado en mas acciones de guerra que todos los oficiales cubanos juntos. No lo nombró.

En fin, que una guerrilla que no llegaba a quinientos hombres se apoderó del país y Cuba se fue al infierno. Y en el infierno mandan los diablos y se impone lo diabólico.

«El pueblo nunca se equivoca», decía el lema propagandístico de una empresa cervecera. «El pueblo se equivoca más que el carajo», diría Guillermo Álvarez Guedes. El último error de entonces fue la abstención en las elecciones de 1958. Los partidos políticos enemigos de Batista decidieron bailar al son de la música que venía de la Sierra Maestra y calificaron de fraude la contienda electoral por la Presidencia entre el opositor Carlos Márquez-Sterling y Andrés Rivero Agüero, candidato del gobierno. Ahora bien, mientras mayor sea la votación, más difícil es el fraude. Como si quisieran facilitarlo, la inmensa mayoría de los votantes se abstuvo. Dos meses después, una mayoría similar convirtió en apoteosis el triunfo de Fidel Castro.

Caro le costo al pueblo cubano su equivocación, el entregarse enloquecido a un falso Mesías Aunque no todos se equivocaron: los envidiosos, los crueles, los viles y también los aventureros encontraron una vía ideal para su realización personal. La nación se escindió: de un lado víctimas: del otro, cómplices.

El 31 de diciembre de 1958 Rolando esperó el Año Nuevo en su casa, en una fiesta familiar, tocando la filarmónica, con el acompañamiento a la guitarra de un borrachísimo Carlos Puebla, luego trovador oficial de la tiranía que estaba por nacer. Me lo imagino interpretando *Oh Susana*, su canción favorita desde los lejanos tiempos de estudiante en Texas. A la mañana siguiente abordó un *PT Boat* de la Segunda Guerra Mundial que había comprado como desecho de guerra y tomó rumbo a Key West.

LOS JÓVENES Y MÍTICOS HÉROES

Mientras Rolando y los suyos navegaban con rumbo norte por el Estrecho de la Florida, Fidel Castro preparaba su parodia de la Marcha sobre Roma de Mussolini. Después de casi un siglo produciendo mitos, la nación cubana se aprestaba a consagrar los mayores, los peores.

Uno de ellos, el de la juventud como condición meritoria en sí misma, reapareció con renovada fuerza. En 1933, unos jóvenes a los que nadie seguía, que a nadie representaban, eligieron Presidente de la República a alguien muy conocido por ellos, desconocido para los demás. En 1959, el pueblo seguía, aclamaba, adoraba a otro grupo de jóvenes que formarían ellos mismos el gobierno. Nunca, en ninguna parte, ha habido un grupo gobernante formado por hombres de tan corta edad. Su jefe tenía 32 años; el segundo, su hermano, 27; el tercero, un argentino, 31; Camilo Cienfuegos, nombrado jefe del Ejército, Ramiro Valdés, que se convertiría en émulo de Dzherzhinski, y el patibulario Efigenio Ameijeiras, nuevo jefe de la Policía Nacional no llegaban a los 30. Los de mayor edad, Húber Matos, Humberto Sorí Marín, Carlos Franqui y Raúl Chibás, rondaban los 40 y ninguno de ellos duró en el gobierno. ¡La juventud al poder!

Raúl Roa, mal político y peor escritor, tuvo dos buenas frases, que serían su único legado positivo. En una de ellas calificó de «efebocracia» a los jóvenes autonombrados Grandes Electores protagonistas del extraño golpe del 4 de septiembre de 1933.

Un efebo es un varón adolescente. Los que lanzaron a la fama a los doctores Grau y Guiteras ya habían dejado atrás esa etapa de la vida, pero, para ser políticos, eran muy jóvenes, como también lo era el sargento Batista, entonces de 32 años. En 1959 ocupó el poder una nueva efebocracia, más joven aún. ¿Jóvenes querían los cubanos? Jóvenes tuvieron.

Además de jóvenes, eran también personajes míticos, falsos. Fidel Castro, el «Comandante Invicto», era un hombre osado, pero de coraje sumamente quebradizo, con un historial lleno de huidas, de escapadas ante el peligro. Huye ante Masferrer, no cruza la posta de entrada en el cuartel Moncada y huye cuando ni siquiera sabe el resultado del combate, huye en Alegría de Pío dejando a sus hombres cercados. Eso es sólo lo que se refiere al valor. Con todos los demás factores que constituyen su personalidad se hace lo mismo. Nunca un hombre ha sido tan elevado por encima de sus verdaderas condiciones como Fidel Castro.

El físico: pocos cubanos ha de haber que no consideren a Fidel Castro un hombre fuerte. En sus años de estudiante del colegio de Belén, con la leyenda de Mella en mente, practico deportes, especialmente el *basketball,* en el que lo ayudaba una estatura por encima de la media de entonces. En la Universidad ni siquiera intentó jugar con los afamados Caribes; el nivel de juego que llevó a Cuba a un onceno lugar en las Olimpiadas de 1948 en Londres era demasiado para él.

Hizo bien, porque su físico no daba para ser deportista. Un día, cuando aún no cumplía los 40, cometió el error de quitarse la camisa para jugar ping-pong contra un estudiante americano y alguien tomó una foto mientras jugaban. Georgie Anne Geyer, una periodista también americana, comentó el acontecimiento con estas despiadadas palabras: «Un fláccido Fidel Castro juega al ping-pong». Jamás se le volvió a ver sin camisa. Tampoco con mangas cortas o *shorts.* Sus brazos y piernas desmentían la leyenda.

Sus enemigos le echan en cara su maldad, pero pocos cuestionan su inteligencia. Lo cierto es que arruinó un país prosperó con sus disparates, con el agravante de que el país arruinado le pertenece. Como consecuencia, siempre ha debido depender de la ayuda de gente a la cual desprecia y detesta. Lo mismo sucede con su capacidad de convencimiento. «Si lo dejan hablar, convence a cualquiera», dicen los que nunca lo han visto convencer a nadie.

Por supuesto, el carisma. No podía faltar esa palabra si de Fidel Castro se trata. Define una rara cualidad que tienen algunas personas de influir sobre los demás, de hacerse seguir por otros sin que medie la coerción ni el interés. El carisma no se adquiere, no se aprende; se nace con él, y es imposible de explicar.

Historia antigua: en los confines del Imperio Romano los soldados de una legión se amotinan cuando pasan semanas y no reciben su paga. Germánico, el general que los manda, se presenta en el campamento de los rebeldes solo con su hijo de seis años, al que los legionarios, por razones inexplicables, adoran como a un dios. Al ver a su pequeño ídolo cabalgando sobre los hombros del padre; al niño que usa unas botas iguales a las que ellos calzan y por ellos mandadas a hacer, unas pequeñas *caligas*; al que llaman no por su nombre, Gaius, sino por el mote originado en aquellas botas diminutas; al verse ante su adorado *Calígula,* los amotinados deponen su rebeldía, se arrodillan ante él, proclaman su lealtad a Germánico, piden perdón. Eso es carisma.

Historia moderna y más familiar: José Martí, que no participó en la guerra del 68, es aceptado como jefe por los veteranos de esa guerra en la contienda del 95. Al llegar a Cuba, un grupo de generales y coroneles se reúnen a sus espaldas y lo nombran general, a él, que no ha disparado un tiro en su vida. Eso es carisma.

Fidel Castro, que aspiraba al máximo liderato estudiantil, nunca pudo ser ni presidente de la Escuela de Derecho. Como a *Calígula*, en la Universidad lo conocían por un mote, aunque de índole muy distinta: le llamaban *Bola de Churre*. Dato curioso: por esa misma época y en un ámbito similar, a Ernesto Guevara lo llamaban *Chancho*.

Desde su estreno como estudiante universitario en 1945 y durante ocho años, Fidel Castro buscó la fama por todos los medios. A los que son verdaderamente carismáticos es la fama la que viene a buscarlos. El 26 de julio de 1953, luego de provocar docenas de muertes, el hasta entonces fracasado aspirante a líder logró al fin que sus compatriotas se fijaran en él.

Camilo Cienfuegos, un inepto y simpático figurín, ha sido elevado a la condición de guerrero invencible, aunque necesitó una semana para tomar el cuartel de la pequeña población de Yaguajay, su hazaña de mayor resonancia. «Camilo», como lo llaman todos en Cuba, es el típico hombre insignificante que se suma a una revolución para dejar atrás la insignificancia. Hizo poco daño porque poco vivió y casi todo su tiempo de vida luego de llegar a La Habana lo dedicó a solazarse con las muchas mujeres que lo encontraban bello... si es que tales historias donjuanescas son ciertas.

Hay una foto de Mella barbudo, tomada en los días finales de su huelga de hambre. La barba, que oculta sus tan celebradas facciones, no lo favorece en absoluto. Lo mismo le sucedía al Che Guevara. En el caso de Camilo Cienfuegos el efecto es contrario: negra y cerrada, la barba disimula sus rasgos anodinos y le da un aspecto vagamente nazareno. La imagen se completa con bien cortados uniformes de gabardina satinada y un flamante sombrero Stetson. No sé si se trata de un mito más, pero he oído que muchas mujeres se le ofrecían, se le entregaban. Me pregunto cuál hubiese sido la reacción de esas mujeres si, en iguales circunstancias, el recién llegado hubiese sido Julio Antonio Mella.

Carlos Franqui, que en la Sierra Maestra dirigió *Radio Rebelde*, quizás la emisora radial más mentirosa que jamás haya existido, y en La Habana el diario *Revolución*, vocero del terror, llamó a Camilo Cienfuegos «el Cristo Rumbero».Poco le duró la rumba. No habían pasado diez meses de poder, gloria y jolgorio cuando su Comandante en Jefe le encargó la vil misión de encarcelar a Húber Matos, el mejor jefe que tuvo la guerrilla castrista. Luego de cumplirla a cabalidad, el pequeño avión en que volaba de Camagüey a La Habana desapareció sin dejar el menor rastro. De las aeronaves que alcanzaron celebridad en nuestro país, sólo el globo de Matías Pérez desapareció de manera tan absoluta.

Ernesto Guevara, bautizado *Che* por los cubanos, parecía encarnar la socorrida imagen de la arrogancia argentina. Dos años antes de llegar a La Habana puso los pies en Cuba por primera vez. Como el personaje de un corrido mexicano, esos dos años los pasó, casi en su totalidad, «en lo alto de una abrupta serranía». Pero él sabía lo que se debía hacer con la economía cubana. Después de todo, Cuba no era más que un paisito. Ignoraba que los elementos del mundo moderno, desde el ferrocarril a la televisión, existían en Cuba por obra de los cubanos cuando aún eran desconocidos en la Argentina.

La balsa en que navegó por el Amazonas en sus años juveniles se llamaba *Mambo-Tango*, un homenaje evidente a Dámaso Pérez Prado, cuya música recorría el mundo en aquél entonces. Fuera de Pérez Prado, de Capablanca, famoso donde quiera que se juegue ajedrez, y Argentina es un país ajedrecístico, y quizás de Martí, no creo que el joven Guevara conociera ni se interesara en conocer a ningún otro cubano.

Ernesto Guevara se hacía pasar por médico, aunque nunca se graduó. Sin embargo, las mentiras y la arrogancia pierden protagonismo ante la crueldad que hacía de él, para decirlo con sus propias palabras, «una fría y selectiva máquina de matar», ante su desempeño como apóstol del odio. Mató a muchos, y lo hizo sin ocultarse, como si cumpliera un ritual. Sin embargo, sólo entre los cubanos exiliados su nombre se asocia a la palabra «asesino».

Como gobernante fue un desastre. En la industria, en la banca, no hubo una iniciativa suya, una sola, que culminara en éxito, y su desprecio por el país que lo había acogido y honrado, en el que era «alguien», lo manifestó en la firma de los billetes emitidos por el Banco Nacional cuando estuvo bajo su dirección. Ese «Che» en los billetes es un escarnio.

Como hombre de guerra tuvo un desempeño similar. En el Congo no hizo otra cosa que huir ante una tropa de soldados de fortuna europeos y surafricanos bajo el mando de Mike Hoare. La absurda aventura tuvo un final que ejemplifica el carácter surrealista de nuestra nación: un combate naval en el lago Tanganyika en el que tres lanchas tripuladas por cubanos exiliados acosaron a cuatro embarcaciones similares de cubanos castristas. A los nuestros se les hizo evidente que en una de ellas iba el Che Guevara por la forma en que fue protegida por las otras hasta que logró escapar, a costa del hundimiento de las que le daban protección.

Luego del ridículo en el Congo pasó a la tragedia en Bolivia, todo un manual de lo que debe hacerse para que una intentona guerrillera termine en desastre. Julio Carretero, un guajiro del Escambray, estuvo cuatro años alzado en un territorio de cinco mil kilómetros cuadrados en el que operaban cincuenta mil soldados y milicianos. Guevara, disponiendo de un espacio equivalente al tamaño de toda Cuba y enfrentado a sólo un batallón, apenas pudo sostenerse siete meses antes de rendirse.

La conversión de este fracasado en objeto de culto internacional es una muestra de la crónica escasez que padece el movimiento comunista en cuanto a figuras con posibilidad de convertirse en iconos. Guevara era joven aún, tenía 39 años cuando murió baleado, mientras que de los otros capitostes del comunismo, como él predicadores de la violencia, sólo Lenin no alcanzó la ancianidad y todos murieron apaciblemente en sus camas. Trotsky apenas pasaba de los 60 y murió asesinado, pero no se fabrican iconos con la imagen de un hereje.

«Me achiqué en gran forma»: con esa frase tan porteña el joven Guevara le describe a su madre un momento de temor durante su navegar por el Amazonas. Veinte años después se achicó en gran forma al verse rodeado por soldados bolivianos. «¡No me maten! ¡Yo soy el Che Guevara y valgo más vivo que muerto!». Palabras indignas si se recuerda que no mucho antes había escrito uno de sus catecismos revolucionarios en el que puede leerse esta frase desafiante: «Si nos sorprende la muerte, bienvenida sea».

Aunque la forma en que se rindió fue indigna, lo cierto es que no murió de enfermedad o de vejez como los otros, lo cual hizo posible disfrazarlo de mártir. Y disfrazado fue.

Las imágenes de Camilo Cienfuegos y Ernesto Guevara, junto a la de Julio Antonio Mella, forman el logotipo de la Unión de Jóvenes Comunistas, algo realmente simbólico: no se puede incluir un mayor contenido mitológico en tan pequeño espacio.

EN EL EXILIO Y SIN RUMBO

«Si es noticia, está en *The New York Times*». Tal es el lema, tan falso como arrogante, del diario-insignia de la taimada izquierda americana. La noticia fue, en este caso, la llegada de Rolando Masferrer a Cayo Hueso en su vieja lancha *PT* de la II Guerra Mundial. Con él traía 17 millones de dólares que le fueron decomisados por las autoridades aduaneras. Fidel Castro, que en 1957 fuera lanzado a la fama internacional por ese mismo periódico en un reportaje que aún sorprende por su deshonestidad, quizás haya pensado en la necesidad de estudiar los métodos del célebre diario neoyorkino. Tratándose de Cuba, si es mentira, está en *The New York Times*.

La desinformación partió de La Habana. Los aduaneros de Key West sólo encontraron una suma insignificante de dólares, que a los precios de entonces quizás hubiese alcanzado para vivir un mes en un tugurio. Poco después, el asesino sin muertos y multimillonario sin dinero comenzó a prestar sus servicios en una gasolinera de New Jersey. Pero el trabajo de desinformación, en el que los seguidores de Fidel Castro tenían una amplia experiencia, adquirida en Radio Rebelde, no fue en vano. Hasta el historiador inglés Hugh Thomas se hizo eco de ella.

A los 41 años, por primera vez en su azarosa vida, Rolando Masferrer es un exiliado. También por primera vez se verá ante la tarea de derrocar un gobierno. Fracasará, aunque no dejará de intentarlo, una y otra vez durante los casi 17 años que le quedan de vida. Fracasará, entre otras razones, porque, a pesar de su larga familiaridad con la violencia, carece de talento para la subversión. Fracasará, como fracasó en Cayo Confites. Rolando Masferrer es, ante todo, un político y un periodista. A pesar de su amor por la palabra «revolucionario», amor compartido por tantos cubanos, esa palabra no lo define en absoluto.

¿Qué vino a buscar a los Estados Unidos? Josip Broz, *Tito*, más que Presidente, amo de Yugoslavia, su antiguo camarada de armas en

España, le ofreció asilo. Rolando no aceptó. ¿Pensó acaso que Yugoslavia estaba demasiado lejos? Cercanía y lejanía son conceptos relativos, algo que muchos cubanos aprendieron viviendo durante décadas a doscientos kilómetros de un sitio al que no volverían. En todo caso, bajo *Tito* no hubiese debido enfrentar la hostilidad gubernamental a sus proyectos.

En 1960 envía la primera expedición a la Isla. En las acciones muere *el Indio* Feria, que fuera su segundo en los malhadados Tigres, uno de los cuatro entre los llamados «esbirros de Batista» que regresó a Cuba en son de guerra y el único que lo hizo como jefe de grupo; los otros tres fueron parte de la Brigada 2506, en la que no tenían grado. Bobby Fuller, joven miembro de una rica familia americana asentada en Holguín, desembarcó bajo el mando de Feria, fue capturado y fusilado, que Fidel Castro, a quien no le interesa ya tener fama de matón como en sus viejos tiempos de la UIR, no vacila en matar cuando lo considera necesario o reconfortante, y odia a los ricos, a los americanos y a los holguineros; Bobby Fuller era las tres cosas

Tres años después Rolando parece haber conseguido un mecenas para combatir por la violencia a su viejo enemigo: nada menos que Howard Hugues, el célebre magnate de la aeronáutica y el cine. Por el caudal de su dinero era inmejorable como aliado; por su condición de excéntrico, siempre en la mira de la prensa, resultaba contraproducente. Esta vez no hubo desembarco y muerte en Cuba; sólo captura en territorio americano.

En 1967 Rolando ve fracasar su intentona mejor concebida, algo así como una versión en pequeño de la expedición de Cayo Confites, menor por el número de hombres, apenas un 10% de los que se reunieron en el remoto cayo, y por la dificultad, que más fácil era derrocar a François Duvalier que a Trujillo. Con la participación de varios políticos haitianos, debían invadir Haití, despachar al infierno al infernal *Papá Doc,* diezmar a sus *tonton macoutes* y luego convertir al pequeño y sangriento país en base de operaciones contra Fidel

Castro. De haber triunfado, hubiese habido en ello un peculiar simbolismo: un blanco cubano se apodera de un país en el que los blancos habían sido exterminados por los negros, exterminio del que escaparon sólo los que pudieron huir a Cuba.

Como en los viejos tiempos, Masferrer y sus hombres debían partir de una pequeña isla, Cayo Marathon, pero esta nueva ínsula Barataria no tenía la condición remota de Cayo Confites, sino que era atravesada por la carretera *U.S.1*, que lleva a Cayo Hueso. En el nombre de la carretera está la clave del nuevo fracaso: *U.S.1*. No se pueden preparar ni ejecutar acciones subversivas en territorio americano, mucho menos en un lugar por el que pasan a diario miles de personas, a menos que sean los propios americanos quienes lo hagan. Los preparativos para este tipo de empresas deben ser en otro país, uno cuya policía no tenga la eficacia del *FBI* y, pueda ser llevada a la indiferencia por medio del dinero. Esto podría resumirse en una palabra, una palabra que nadie parece comprender en el exilio cubano: clandestinidad. Rolando, quien tampoco la comprendió, nunca en su vida hizo algo de manera clandestina.

La falta de comprensión de esa verdad poco menos que absoluta le costó cinco años de cárcel en el gélido y, para nosotros, remoto Illinois. El de Cayo Marathon sería su último fracaso insurreccional. Y es que el talentoso Rolando Masferrer, a quien Hugh Thomas describiera como «*a sort of prodigy*», carecía de lo que Pablo de la Torriente Brau, como él periodista brillante y combatiente por la República Española, definiría como «imaginación combativa». A Rolando le sobraba combatividad, pero su imaginación no estaba enfocada al combate. La primera característica no era compartida por todos los enemigos de Fidel Castro; la segunda si. A ninguno se le ocurrió que la mejor manera para destruir un régimen despótico unipersonal (y ninguna tiranía moderna ha sido tan unipersonal como la de Fidel Castro) es matar a la persona que lo encabeza.

Ni siquiera se atentó contra sus embajadores, entre los que abundan los dedicados a tareas de espionaje y subversión, ni contra sus ministros y funcionarios de esto y lo otro, muchos de los cuales han pasado décadas en un constante viajar sin que nadie les dedique un disparo de fusil. En cambio, un cubano ha pasado 25 años en prisión por matar a un funcionario sin importancia de la Misión cubana ante la ONU, a quien nadie recuerda ya; ni siquiera en Cuba, aunque ha sido el único diplomático de la tiranía muerto mientras prestaba servicios en el extranjero.

Aunque lo realmente efectivo hubiese sido matar a Fidel Castro. Tal es el tema central de dos de mis novelas. El plan que aparece en *Los hombres de Don Alvaro*, bien pudo haber tenido a Rolando como promotor si el destino no hubiese impedido que nos conociéramos. En 1972, cuando salió de la cárcel de Marion, Illinois, mi decisión de irme de Cuba ya tenía cuatro años. Pude haber estado aquí. Debí estar aquí. Quizás hubiese podido convencerlo, venderle mis ideas; mejor sería decir regalárselas. Marcos Rodríguez, también holguinero, mi compañero del bachillerato y amigo de ambos, hubiese servido de introductor, junto con su hermano Mario, que estuvo en lo de Cayo Marathon.

–Marquitos, llévame a ver a Rolando. Pídele a Mario que venga con nosotros.

Me gusta pensar que yo hubiese podido suplir la carencia de imaginación orientada a la violencia de aquel hombre excéntrico que quizás fuera realmente «una especie de prodigio». Mientras más lo pienso, más razonable y factible me parece lo que pudo haber sido la Operación Perseo.

Yo soy, ante todo, un novelista. Los compatriotas del exilio me conocen por mis artículos publicados en los periódicos de Miami y los de Cuba por *Los niños y el tigre*, una diatriba contra Fidel Castro disfrazada de obra histórica. Pero eso no cambia las cosas. Yo soy lo que soy: un escritor de obras de ficción en las que trato, y creo haberlo conseguido, que la ficción parezca realidad. Para que nadie olvide la que es mi verdadera condición, les regalo este diálogo ficticio, que pudo ser parte de una novela o, lo que hubiese sido mejor aún, de una crónica o unas memorias.

–¿Sabes lo que es?

Sin ningún motivo razonable, había decidido tutearlo.

–El *Perseo* de Benvenuto Cellini –dijo después de una breve ojeada a la foto del conjunto escultórico– Cellini me cae bien –agregó con aire ensimismado

Quizás no debí decirlo, pero lo dije:

–No me extraña.

–¿No? ¿Por qué?

Ya había hablado de más, así que opté por la sinceridad.

–Porque, como tú, decía ser un asesino.

Él se echó a reír. Yo respiré, aliviado.

–Bien –dijo– ¿De qué hablamos? ¿De Perseo o de Cellini?

–De Perseo. ¿Ves como sostiene la cabeza de Medusa? ¿Por qué las serpientes no le muerden la mano? Porque Medusa está muerta y ellas mismas están muriendo. Si lo matamos, ni sus serpientes van a sobrevivir. Es a él al que hay que matar. Sólo eso importa.

No me tomé el trabajo de identificar al que debía morir. Rolando me miró, impasible. Mientras él pensaba lo que estuviera pensando yo me dediqué a observarlo. Lo veía por primera vez en persona, pero ver a su hermano *Kiki* era casi como verlo a él.

–Interesante –dijo por fin– Pero, dime: ¿cómo piensas matar a la señora Medusa?

En ese momento yo tenía tres planes: derribar con un cohete Stinger el avión en que viajara, al despegar o al aterrizar en el país que fuera; durante un viaje a Europa, interceptarlo en el aire utilizando un avión de gran autonomía, y obligarlo a descender en un país de la costa africana, Liberia o Sierra Leona, cuyo aeropuerto hubiese sido tomado con anterioridad por un comando; lanzar un avión *kamikaze* cargado de explosivos contra la pared trasera del teatro Blanquita, derrumbándola sobre el escenario cuando estuviese allí ilustrando a la concurrencia con uno de sus discursos. Pude notar que la operación africana había sido la que mejor impresión le causara, seguramente porque comprendió que en ella podría participar. Esa preferencia me confirmó su falta de talento para la violencia: era la más compleja y costosa, y la que requería mayor información.

–Interesante –dijo de nuevo– ¿Así que eres de Holguín? ¿Cómo me dijiste que te llamabas?

INADAPTACIÓN. MUERTE

¿Quería acaso convencerse a si mismo de que hacerle caso a Roy Rubotton y moverle el piso a Fulgencio Batista para propiciar su caída había sido lo correcto? Lo cierto es que Eisenhower no sólo le negó el asilo al Batista fugitivo, sino que rechazó trato alguno con los antiguos batistianos. Kennedy, bien porque no se considerase comprometido con aquella política absurda o por otros motivos, citó a Rolando para una entrevista, desentendiéndose de *The New York Times* y de esa izquierda americana que se hace llamar «liberal», que siempre ha tenido a Fidel Castro entre sus ídolos recónditos.

De la misma edad, cultos, brillantes estudiantes de Derecho, veteranos de guerra, con experiencia parlamentaria, sin barreras idiomáticas que dificultasen la comunicación, Rolando Arcadio Masferrer y John Fitzgerald Kennedy tenían mucho en común y debieron entenderse.

Al parecer, no se entendieron. Chismes del State Department dicen que al Presidente le desagradaron las ideas radicales de Masferrer y su duro lenguaje. Puede ser. Lo cierto es que al morir Kennedy, en medio de un exilio cubano que lo detestaba por su lamentable desempeño en la operación de Bahía de Cochinos, Rolando lo defendió con el «duro lenguaje» que, según algunos, no le gustó al *Golden Boy* de Boston. A veces es necesario nadar contra la corriente. A veces. Tal actitud no puede convertirse en norma.

Duro era, sin duda, el lenguaje de Rolando Masferrer. Eso era parte de su sello periodístico. En «*Apendejation*», el último artículo que escribió, hace una apasionada defensa del joven Humberto López, que había perdido un ojo y una mano al explotarle una bomba que preparaba, al que le llovían criticas por su intentona, sin duda de carácter terrorista. Rolando, que en su vida colocó ni ordenó colocar una bomba, se puso de parte del joven en desgracia. «Yo estoy con López», dice, rotundo. Luego cierra con una frase que es un epitafio perfecto para alguien como él: «Al carajo».

Ese estilo y su talento para manejar buenas y malas palabras le habían permitido levantar un periódico de la nada mientras se enfrentaba a los bien provistos comunistas del diario *Noticias de Hoy*, que contaban con los fondos de la Confederación de Trabajadores de Cuba, todavía en sus manos, y del nada mítico «oro de Moscú». De aquella batalla periodística surgió *Tiempo en Cuba*.

Con el mismo talento y la experiencia acumulada, y algunos articulistas de gran fuerza como Luis Ortega y Carlos Montenegro, el semanario *Libertad*, que sería la última empresa periodística de Rolando Masferrer, estaba destinado a convertirse en un periódico de primera clase, dejando atrás la categoría de «periodiquito». Muchos «periodiquitos» han nacido y muerto en Miami. Sólo uno, *El Matancero Libre*, creció hasta convertirse en un semanario de ochenta páginas y una tirada de decenas de miles de ejemplares. No tengo la menor duda que *Libertad* hubiese alcanzado iguales o mayores logros.

No pudo ser: En octubre de 1975, tres semanas antes de que muriese su viejo enemigo Francisco Franco, Rolando fue, al fin, asesinado, y lo fue de la mejor manera en que se puede asesinar a un hombre peligroso, con una bomba colocada bajo su automóvil. No conectada al encendido del motor, pues el carro recorrió varios metros antes de explotar, sino accionada por control remoto. Tan difícil de evitar como de investigar, su asesinato quedó impune.

Por alguna razón, quienes lo investigaron miraron en todas direcciones menos sur suroeste, es decir, hacia La Habana, señalaron a varios posibles culpables, menos al que tenía lo primero que se busca en la investigación de un crimen: el móvil. Habían transcurrido 28 años desde el día en que Fidel Castro sufrió la mayor humillación de su vida, desde el día en que huyó ante un hombre al que había atacado por la espalda. Por mucho menos que eso murieron Eufemio Fernández y el coronel Antonio Castell. Eufemio, por haberlo abofeteado cuando lo de Cayo Confites, pero sobre todo, por burlarse de él en el episodio de la campana de La Demajagua. Castell, jefe del presidio de

Isla de Pinos, selló su suerte cuando le envió a Mirta Díaz-Balart la carta destinada a Natalia Revueltas, amante del recluso Fidel Castro.

LA TRAMPA DEL DESTINO

Para que Carlos Aguirre muriese un día de 1923 en la plaza de toros de Bayona muchas casualidades tuvieron que suceder, que sucederse una tras otra. El destino del aquel joven cubano, graduado *Summa Cum Laude* de la Escuela de Derecho de la Universidad de La Habana, era morir ese día. Cada quien está en su destino como en una trampa, dijo Enrique Serpa.

Serpa es un escritor olvidado, quien sabe por qué, pues recordados son otros de un nivel literario similar, cuando no inferior al suyo. El olvido no ha sido total: uno de sus cuentos, «Aletas de tiburón», está en todas las antologías de la cuentística cubana. Escribió dos novelas, *Contrabando* y *La trampa,* antes de dedicarse a la diplomacia y ser luego tragado por el olvido, voraz y omnívoro.

La trampa es la novela del llamado *gangsterismo*, una de las tres obras literarias en la que aparece esa temática; las otras son «Balada de plomo y hierro», un cuento de Cabrera Infante, y *La brizna de paja en el viento*, novela de Rómulo Gallegos, escrita cuando su exilio en Cuba, obra menor del venezolano en la que el tema de la violencia *gangsteril* es marginal. Además, dicho tema le era totalmente ajeno a don Rómulo; lo suyo era la violencia rural, la de los grandes espacios sin ley, fueran los llanos o la selva.

Ernest Hemingway también escribió sobre la violencia urbana en Cuba en su novela *Tener y no tener*, aunque la sitúa a principios de los años 30' y como tema secundario. Al mencionar al americano de San Francisco de Paula no puedo dejar de referirme a su extraño desencuentro con Rolando Masferrer, al mutuo e, insisto, extraño desinterés que mostraron el uno por el otro. Hemingway era el de mayor celebridad entre los participantes de la Guerra Civil Española que vivían en Cuba. Por su parte, Rolando Masferrer, a diez años de terminada la guerra, era un destacado periodista y miembro de la Cámara de Representantes, y su nombre era conocido nacionalmente.

A Hemingway nunca le interesó Masferrer. ¿Por qué? Cuántos adolescentes llegaron a España para participar en la guerra civil? Muy pocos; probablemente, ningún otro de Cuba. ¿Cuántos cubanos fueron miembros de la Brigada Lincoln? Por otra parte, ¿no le interesaba conocer a uno de los líderes de aquella empresa de corte tan *heming-wayano* como fue la expedición de Cayo Confites? ¿No era acaso Masferrer, como él mismo, un intelectual inclinado a la violencia? Además, hablaba inglés; cuando se vive en un país extranjero, aunque sea por voluntad propia, aunque se domine la lengua de ese país, una conversación en nuestra propia lengua siempre es bienvenida.

¿Y Rolando? ¿Nunca se interesó en conocer al famoso escritor con el que tenía tantas cosas en común? Lector consuetudinario, seguramente había leído *Por quién doblan las campanas*. ¿No le hubiera gustado conocer al autor? Todo indica que no.

Un punto que diferenciaba radicalmente a estos dos extraños seres era su actitud hacia España. Para Hemingway, España era casi tan importante como los Estados Unidos y mucho más que Cuba, donde tantos años vivió. Para Rolando, era sólo el país de donde provenían sus lejanos antepasados y en el que hubo una guerra en la que quiso participar y participó. ¿»Sólo» dije? Es bastante. El cubano de Holguín, Oriente, poseía una personalidad aún más extraña y asimétrica que la del americano de Oak Park, Illinois. Lo cual es mucho decir.

Rolando Masferrer no se interesó en conocer a Ernest Hemingway. Tampoco a Rómulo Gallegos ni a Guillermo Cabrera Infante. Sí, en cambio, a Enrique Serpa.

–No me trates mal –le dijo.

Y es que uno de los personajes protagónicos de *La trampa*, un joven miembro de la Cámara de Representantes, abogado, hombre hogareño y cabeza de un grupo de acción, está construido, sin duda alguna, utilizándolo como modelo. Por cierto, uno de los pistoleros bajo su mando, sujeto en extremo taciturno, lleva un apellido que resultó premonitorio: Luque.

Heminway conocía a Serpa y probablemente leyó esa novela; seguro estoy de haberla visto en un librero de su casa en San Francisco de Paula.

La obra se inicia con una frase que aparece más arriba, cuando me referí al infausto destino de Carlos Aguirre. Parece una cita, pero Serpa no aclara su origen. Simplemente esta ahí, como si fuera un intento de explicación, seguramente involuntario, de la vida del hombre que le sirvió de modelo para su personaje: «Cada quien está en su destino como en una trampa».

Al menos Rolando Masferer lo estaba. Y yo. Y todos los que fueron asesinados, encarcelados y enviados al exilio como consecuencia de la debacle que comenzó con el golpe militar que tuvo lugar el 10 de marzo de 1952 y que hoy, en enero del 2009, aún no termina.

A pesar de las cualidades que impresionaron a tantos, de Lidia Sera Luque, su condiscípula en el Instituto de Segunda enseñanza de Holguín, a los oficiales del *FBI* que lo interrogaron cuando lo de Cayo Marathon, la vida de Rolando Masferrer fue un fracaso. Hay una enorme brecha entre lo que fue y lo que sus talentos indican que debió haber sido. Para mi, nadie como él simboliza nuestro fracaso como nación.

Para él y para la nación cubana el día decisivo fue el 10 de marzo de 1952, el día en que Fulgencio Batista y sus partidarios militares derribaron el gobierno de Carlos Prío. Ese día marcó el inicio de la tragedia que llevó al poder a quien sería el gobernante más destructivo que registra la historia y puso fin a la trayectoria ascendente de Rolando Masferrer.

En una decisión absurda, que nada es tan absurdo como hacer lo contrario de aquello que nos conviene, Rolando se sumó a un grupo en el que había demasiados ineptos, individuos sin rumbo, cuyo único interés, aquellos que lo tenían, y que él, Masferrer, no compartía, parecía ser el enriquecimiento en el menor plazo posible, encabezados por un hombre que había perdido el sentido común en algún momento impreciso de su vida, que con los desmanes que ordenó o permitió no logró otra cosa que allanarle el camino a Fidel Castro.

¿Era tan malo Fulgencio Batista? En 1933, él y sus colegas sargentos, apoyados por los jóvenes del Directorio Estudiantil y por Guiteras, destruyeron la oficialidad de las fuerzas armadas cubanas, cuya combatividad, competencia y distanciamiento de la política habían sido un valladar para el caos revolucionario a que tan propensas son las naciones que antes de convertirse en tales fueron parte del Imperio Español. Veinte años después, cuando nuevas generaciones de militares portaban grados en sus charreteras, de nuevo se produjo el desguaze. Los coroneles más competentes, Ramón Barquín y Joaquín Casillas, ¿dónde estaban, donde estuvieron durante el alzamiento de Fidel Castro? Barquín, en la cárcel, preso; Casillas, también en la cárcel, pero como jefe de ella. La anulación del ejército fue obra de Batista y de sus aliados. Y como la suerte casi nunca ayuda a los incapaces, una inesperada estrella militar, el coronel Angel Sánchez Mosquera, fue eliminado por una bala que no lo mató, pero le afectó el cerebro, dejándolo inútil.

Pero entre 1934 y 1944 Fulgencio Batista hizo otras cosas. Pacificó un país que había vivido varios años desvelado por el ruido de las bombas y los disparos. Bajo su gobierno regresaron las elecciones, se elaboró una Constitución, la economía, guiada por nuestros hábiles empresarios, retomó el impulso perdido, la represión disminuyó hasta casi desaparecer y, cuando el candidato que apoyaba perdió las elecciones presidenciales, entregó el poder al ganador. Si Batista hubiese muerto antes de 1952, su recuerdo sería más respetado que el de Grau o el de Prío. De Fidel Castro, ni recuerdo habría.

En Cuba, como en todos los países que han llegado a la riqueza explotando mano de obra esclava, existen prejuicios raciales, racismo. Parte de ello es lo que podíamos llamar «el oscurecimiento» de las personas que nos desagradan. Norberto Fuentes, uno de los bufones literarios de la tiranía, llama «mulato» al trigueño general Ochoa, que lo despreciaba. A Batista, que era realmente mulato, algunos que no lo querían bien lo llamaban «negro».

«El negro, si no la hace a la entrada, la hace a la salida», dice el refranero racista de los blancos cubanos. Batista convirtió el refrán en realidad: después de un desempeño más que aceptable en su primera etapa, terminó por «hacerla» en la segunda. Su ruptura del orden constitucional fue el inicio de la catástrofe, lo que le permitió a Fidel Castro, después de años de fracasos y frustraciones, encontrar la ruta que lo llevaría a obtener lo que siempre quiso, el poder absoluto. A diferencia de Rolando, de casi todos los cubanos, Fidel siempre supo lo que quería.

¿Que fue a buscar Rolando junto a Batista? Me pregunto si el mismo lo sabría. En realidad, no parecía saberlo. «Esto no es dictadura ni *dictablanda.* ¡Esto lo que es una mierda!», escribió, exasperado, en su diario *Tiempo en Cuba.* Entonces, ¡por qué la apoyó hasta su último día? ¿Fue el error de su vida, el que la anuló?

Quizás hubo otro peor. En las páginas iniciales de este libro está un poema de William Blake, *The Tiger,* traducido por Heberto Padilla con su habitual mestría poética. El título hace recordar, inevitablemente, a Rolando Masferrer. Sin embargo, al leer la traducción de Padilla no pensé en él, sobre todo ante una estrofa omitida por Blake que parece escrita para el hombre a quien Rolando debió matar cuando pudo hacerlo. El poeta inglés habla de un corazón «fuente de sangrientos pesares»; luego se pregunta qué arcilla y qué molde conformaron «esos ojos llenos de furor». El corazón y los ojos de Fidel Castro.

Quizás el error capital en la vida de Rolando no fue apoyar a Batista, sino dejar con vida a Fidel en Cayo Confites. Él, Eufemio Fernández, todos los que conocían al futuro déspota lo consideraban un hijo de puta común y corriente. Nadie supo ver que era un monstruo.

Verdad es que Masferrer había dado su palabra de respetarle la vida, pero... Allá en el año 95 y por las calles de aquel Madrid, otro holguinero, Calixto García, estaba bajo constante control policial. Indignado, fue a quejarse ante Arsenio Martínez Campos, que le ofreció suspender la vigilancia si Calixto le daba su palabra de honor, de general a general, de que no intentaría marcharse a Cuba, donde estaba por comenzar una nueva guerra. Sin pensarlo dos veces, Calixto García se comprometió a permanecer en la villa y corte. Seis meses después desembarcaba en Cuba. Para toda regla hay excepciones; incluso para la que obliga a cumplir la palabra empeñada.

Malo fue que Rolando Masferrer apoyase la dictadura de Batista. Peor, mucho peor, que la abrumadora mayoría de los cubanos apoyasen a Fidel Castro. Porque entre estos dos hombres nefastos, no cabe duda de que el peor es Castro. Batista no fue un gobernante destructivo. Otros tiranos habrán sido tanto o más despóticos que Fidel Castro, más asesinos que él, tan ladrones como él; pero nadie, en ninguna época, en ningún país, ha sido tan destructivo. Ninguno ha arrasado de manera tan total con la economía, la infraestructura, el medio ambiente y, lo que es peor, con el espíritu de una nación.

CONÓCETE A TI MISMO

L a nación cubana lleva en si misma dos enemigos: un porcentaje de envidiosos demasiado alto y la propensión a tomar como realidad mitos más o menos absurdos.

En cuanto a Rolando, quiso parecer lo que no era, lo que no le convenía ser, lo que no podía ser. Me refiero a la leyenda del *gangster*, del asesino.

Menos irracional, pero también imposible era su pretensión de ser un hombre de guerra. El haber participado en una a tan temprana edad distorsionó su visión del asunto y magnificó la importancia del coraje. Se puede ser muy valiente y no ser un buen jefe militar. Se puede ser muy inteligente y no tener talento para la guerra ni para la subversión.

A Ignacio Agramonte, venerado guerrero-parlamentario del Camagüey, se le conoce como *el Bayardo*. Tengo la impresión de que muchos cubanos ignoran lo que esa palabra significa.

Pierre du Terrail, Señor de Bayard, fue un noble francés con un elevado nivel de aprobación pública. Lo llamaban *le chevalier sans peur et sans reproche* (el caballero sin miedo y sin tacha). Dedicó su vida de adulto a guerrear por su rey, hasta que murió, como tenía que ser, por las heridas recibidas en combate. Sus cualidades hicieron de él un paradigma del caballero medieval y, a pesar de vivir en el mundo amoral del Renacimiento, impresionaban incluso a sus enemigos. Tanto así que, capturado dos veces luego de sus derrotas ante las fuerzas de Ludovico Sforza, Duque de Milán, y de Enrique VIII, Rey de Inglaterra, sujetos nada misericordiosos, en ambas ocasiones fue liberado sin que se pagase rescate. Bayard fue derrotado muy a menudo, a no ser en torneos, en los que hacía gala de una gran habilidad para el combate individual. Antes de morir, demostró una y otra vez su valor, que nunca resalta tanto el coraje de un hombre como en el infortunio.

Como Rolando, Bayard no le temía a nada ni a nadie. No tenía tachas, mientras que a Rolando le fascinaba aparentar tenerlas. Ambos eran hábiles en el manejo de las armas, pero carecían de talento militar.

Por la impresión que causaba su personalidad, por lo brillante de su inteligencia, incluso por su cultura, que los cubanos ven casi como un defecto a no ser que vaya acompañada del valor físico, Rolando Masferrer debió ser un líder político. Por otra parte, su particular talento para el periodismo se vio frustrado por el repetido incursionar en acciones violentas, y su periódico no llegó a desarrollarse hasta lo que pudo ser: el mayor órgano de prensa en español de los Estados Unidos.

Por supuesto, su muerte le era necesaria a muchos, no sólo a Fidel Castro. Mientras viviese, siempre era posible que encontrase su verdadero camino. Venganza aparte, rencor aparte, la potencial peligrosidad de un intelectual dotado de coraje no podía pasar inadvertida para el hombre al que humilló, cuya mayor virtud, si virtud puede llamársele, es saber quienes pueden servirlo y quienes pudieran destruirlo.

Cuando comencé, quería escribir algo así como la biografía reivindicativa de un compatriota y coterráneo. Poco a poco, Rolando se convirtió en un símbolo, por las similitudes entre su persona y Cuba. Una nación y un hombre altamente dotados, ambos frustrados. Nadie como Rolando Masferrer para encarnar el desastre cubano, lo que pudo haber sido y no fue, el desperdicio de cualidades relevantes por una visión distorsionada de la realidad.

El talento para crear y dirigir empresas y la laboriosidad, que debieron haber bastado para convertirnos en una próspera nación se convirtieron en ganancia para Miami, que había sido, desde su fundación, sólo un lugar para vacaciones, y que, impulsada por los cubanos, se convirtió en una gran ciudad. Algo se salvó, después de todo.

En el caso de Rolando Masferrer la pérdida fue total: su capacidad para aglutinar gente de distinta condición, cualidad que define al líder; su talento para la comunicación a través de la palabra escrita; su coraje. Todo se perdió. Es como si el que fuera llamado «una especie de prodigio» por alguien que sólo lo conoció a través de sus enemigos nunca hubiera nacido.

«El tigre fatal, la aciaga joya ». Ese verso, de Jorge Luís Borges, parece escrito para describir a los dos protagonistas de esta historia: Rolando Masferrer, un hombre marcado por la fatalidad, y la aciaga isla en que le tocó nacer, a la que otro poeta llamó «la Perla Azul del Mar de las Antillas» en su lamento por haberla perdido.

Miami, mayo del 2009

Otros libros publicados por Ediciones Universal en la
COLECCIÓN CUBA Y SUS JUECES